LAROUSSE
réussir

500 lettres
pour tous les jours

*savoir écrire
en toutes circonstances*

LAROUSSE

Cet ouvrage a été réalisé avec le concours de Thérèse de Cherisey
et Véronique Kempf pour le texte.
La nouvelle édition a été réalisée, mise à jour et enrichie
avec la collaboration de Guillaume d'Oléac d'Ourche.

Direction éditoriale
Colette Hanicotte

Édition
Aude Mantoux-Nicolas

Direction artistique
Emmanuel Chaspoul, assisté de Jacqueline Bloch

Conception graphique
Olivier Caldéron

Mise en page
Natacha Marmouget, Éric André

Illustrations
Isabelle Chemin

Lecture-correction
Annick Valade, assistée de Chantal Barbot-Pagès, Madeleine Biaujeaud,
Henri Goldszal, Françoise Mousnier et Édith Zha

Fabrication
Annie Botrel

Conception de la couverture
Maxime Lemoyne, sous la direction de Véronique Laporte
assistée de Michel Delporte

L'éditeur remercie tout particulièrement pour leur participation
Mélanie Le Neillon et Christine Caldéron.

Sommaire

Comment utiliser le CD-ROM

Vous trouverez dans cet ouvrage un CD-ROM compatible PC et Macintosh. Il contient tous les modèles de lettres de ce guide. Pour l'utiliser :

- Insérez le CD-ROM dans le lecteur de votre ordinateur.
- Sur un PC, double-cliquez sur l'icône « Poste de travail » située sur votre bureau, puis sur le lecteur de CD-ROM, et enfin double-cliquez sur le fichier « Accueil.htm ». Sur un Macintosh, double-cliquez sur l'icône du CD-ROM apparue sur votre bureau et double-cliquez sur le fichier « Accueil.htm ».
- Le sommaire du CD-ROM apparaît alors à l'écran. Cliquez sur la rubrique de votre choix, puis cliquez sur le modèle de lettre qui vous intéresse. Celui-ci s'ouvrira automatiquement dans votre traitement de texte.

Si vous ne disposez pas d'un navigateur Internet sur votre ordinateur (nécessaire pour utiliser ce CD-ROM), vous pouvez installer Internet Explorer (sauf pour Mac OS X pour lequel il faut utiliser Safari). Pour cela :

- Sur un PC, allez dans « Poste de travail », sélectionnez le lecteur de CD-ROM, puis le dossier « Navigateur », double-cliquez sur le fichier « Install.exe » et suivez les instructions.
- Sur un Macintosh, double-cliquez sur l'icône du CD-ROM affichée sur votre bureau, puis sur le répertoire « Navigateur » et copiez le dossier « Internet Explorer » sur votre disque dur.

Comment lire les pictogrammes

Il est parfois nécessaire de tenir compte de certaines conditions pour que l'envoi du courrier soit efficace. Ces informations complémentaires sont proposées sous forme de pictogrammes en bas à droite des lettres.

 – Ce pictogramme précise qu'il est conseillé d'envoyer le courrier en recommandé avec avis de réception. Ce justificatif pourra être demandé, ou produit, en cas d'absence de réponse au courrier.

 – Ce pictogramme signale le délai légal à respecter pour l'envoi de certains courriers.

 – Ce pictogramme indique qu'il est conseillé d'écrire ce type de courrier à la main. Ce n'est cependant pas une obligation, notamment pour les personnes dont l'écriture est difficilement lisible.

Bien écrire

La présentation du courrier

*L*a qualité du papier, l'écriture et la mise en page contribuent à donner au destinataire du courrier une première impression, favorable ou défavorable. Il est donc particulièrement important de privilégier une présentation claire de l'enveloppe et de son contenu. Voici, point par point, des conseils pour améliorer l'impact visuel de votre courrier grâce à une mise en forme appropriée.

■ LE PAPIER

Le papier doit être uni (ni ligné ni quadrillé), de bonne qualité, mat (suffisamment épais, au minimum de 80 g) et surtout impeccable : ni taché ni froissé.

Le courrier officiel

Pour la correspondance officielle, administrative ou d'affaires, où la sobriété s'impose, on choisira de préférence du papier blanc de format standard (21 x 29,7 cm). Pour les lettres courtes, il est également admis d'utiliser du papier de format « mémo » (21 x 14,8 cm).

Le courrier privé

Pour la correspondance privée, on pourra adopter un papier de format standard, légèrement teinté (bleu clair, ivoire, gris pâle...).

Mais les beaux papiers et les enveloppes aux couleurs insolites seront réservés aux intimes. Vous pouvez également employer des cartes blanches qui permettent d'écrire brièvement sans être aussi succinct que sur une carte de visite.

Quant aux papiers et aux cartes parfumés, ils sont en général considérés comme étant de mauvais goût.

Deuil Naguère, le papier et les enveloppes de deuil étaient traditionnellement entourés d'un filet noir ou gris, mais c'est là un usage en voie de disparition.

■ TEXTE MANUSCRIT OU DACTYLOGRAPHIÉ

Le minimum de politesse consiste à écrire lisiblement. Et sans ratures. Certains devront pour cela recopier leurs lettres... plusieurs fois s'il le faut. Les corrections ne sont admissibles que dans le courrier aux proches. Encore faut-il ne pas en abuser.

C'est pourquoi il est souvent préférable d'envoyer une lettre dactylographiée (sans fautes de frappe !) plutôt qu'une longue lettre manuscrite impossible à déchiffrer.

à la main

Pour un message de félicitations ou de condoléances et pour tout le courrier dans lequel vous voulez manifester vos sentiments, écrivez toujours à la main. C'est beaucoup plus personnel.

Stylo Employez un stylo à plume, un stylo-feutre fin de bonne qualité (sa pointe ne doit pas s'écraser), un « roller » à pointe métal, etc. Mais ni un crayon à mine de plomb ni un de ces stylos à bille dont l'encre risque de « baver » et de tacher.

Encre Pour les lettres officielles, tenez-vous-en à l'encre noire, voire bleu nuit ou bleue (mais, au cas où votre courrier devrait pouvoir servir de preuve dans une affaire, n'utilisez pas l'encre bleue car elle est effaçable).

Pour la correspondance familiale, rien ne vous empêche d'utiliser du bleu des mers du Sud, du brun, du

Le papier personnalisé

Pour personnaliser son papier à lettres, on peut faire graver ou imprimer son adresse et son numéro de téléphone en haut à gauche, ou au centre de la feuille. Les conventions veulent que l'on n'indique pas son nom et son prénom, sauf pour les relations professionnelles. Mais, aujourd'hui, les usages s'assouplissent.

violet ou du vert, mais n'oubliez pas que les couleurs trop pâles ou trop vives sont plus fatigantes pour les yeux.

Avec l'ordinateur

Quand vous choisissez d'écrire à la machine à écrire ou sur un ordinateur, certaines précautions et quelques usages permettent une lecture plus aisée et un courrier malgré tout personnalisé.

Typographie Si vous tapez votre courrier à la machine ou sur ordinateur, adoptez, si possible, un type de caractère agréable à lire (Élite, Pica, Geneva, Times, Helvetica, Palatino, etc.) et d'une taille suffisante (corps 10 ou 12).

Formule finale Pour rendre plus chaleureuse votre lettre, vous pouvez la terminer par une formule écrite à la main.

■ LA MISE EN PAGE

Pour donner au destinataire l'envie de lire le courrier, il est nécessaire de suivre quelques principes de présentation. Ces conseils, simples à mettre en œuvre, faciliteront la lecture de vos lettres.

Comment signer ?

*O*n signe, toujours à la main, de son prénom (Françoise) ou de son prénom suivi de son nom de famille (Françoise Durand), ou de son initiale suivie de son nom (F. Durand), ou encore de son prénom suivi de son nom de jeune fille et de son nom marital (Françoise Durand-Marchand).

Si vous écrivez à quelqu'un qui vous appelle par votre prénom sans être véritablement l'un de vos proches, et qui risque de connaître plusieurs Jean, Pierre, Claude ou Michèle, vous pouvez signer de votre prénom suivi de l'initiale de votre nom de famille. Mais on n'inverse jamais le prénom et le nom (Durand Françoise). Et on ne fait jamais précéder sa signature de « Monsieur », « Madame », « Mademoiselle », « Veuf » ou « Veuve ».

Pour les lettres d'affaires ou si la signature est illisible, on inscrit son nom en dessous, de préférence en capitales.

Les principes généraux

Le premier principe, valable pour toute correspondance, est de respecter une mise en page aérée. Occuper tout l'espace de la feuille peut donner au destinataire un sentiment d'étouffement, comme si on voulait l'assaillir de paroles. Mais laisser trop de blancs tout autour de son texte peut laisser penser que l'on fait preuve d'une trop grande timidité.

Marges En pratique, mieux vaut laisser une marge relativement large à gauche (de 2 à 4 cm selon le format de la feuille), et des marges suffisantes à droite et en bas (de 1 à 3 cm). Si vous écrivez à la main, efforcez-vous de conserver une écriture régulière et horizontale et évitez de couper trop souvent les mots en fin de ligne.

Si vous dactylographiez votre lettre, vous devez respecter des marges plus larges que pour une lettre manuscrite. Vous pouvez aussi justifier le texte des deux côtés, c'est-à-dire avoir une marge parfaitement rectiligne à gauche et à droite.

Tiers supérieur Le tiers supérieur de la page est consacré aux mentions annexes, telles que adresse et date. Le texte à proprement parler ne doit commencer qu'au deuxième

tiers de la page. Cet usage est considéré comme un signe de respect envers la personne à qui l'on s'adresse.

Blancs Il faut laisser une ligne de blanc entre « Cher Monsieur », par exemple, et la suite du texte, puis un blanc entre les paragraphes. Pour bien faire ressortir ceux-ci, vous pouvez aussi commencer votre texte par un simple retrait au début de chaque paragraphe.

Signature La signature se place au milieu ou à droite, quelques lignes au-dessous du texte pour bien se détacher, mais pas trop bas.

Pour une lettre de plusieurs pages

Si votre courrier comprend plusieurs pages, seule la première sera personnalisée, et vous n'oublierez pas de numéroter vos feuillets à partir du deuxième. Vous ne devez pas laisser la dernière page à peine entamée. Elle doit comporter un minimum de cinq ou six lignes (couvrant au moins le tiers ou la moitié de la feuille) avant la signature.

■ LE COURRIER D'AFFAIRES

Le courrier d'affaires regroupe beaucoup de types de lettres : candidature à un emploi, réclamation, demande de renseignement auprès d'un organisme... Pour cette correspondance, une présentation soignée est indispensable. Voici comment organiser sa lettre.

Le haut de la lettre

La partie supérieure de la lettre rappelle les références de l'expéditeur et celles du destinataire. Ces informations sont réparties en deux blocs : l'un à gauche, l'autre à droite.

À gauche Sur la partie supérieure gauche de la lettre, on indiquera les coordonnées de l'expéditeur, en disposant les différents éléments les uns au-dessous des autres et en les séparant par un blanc :
– prénom et nom ;
– numéro et rue ;
– localité, éventuellement ;
– code postal et bureau distributeur ;
– numéros de téléphone, de fax et e-mail, éventuellement.

Détachées des indications précédentes peuvent figurer des mentions particulières telles que « Confidentiel », l'objet de la lettre ou les références du dossier, ainsi que « Recommandé AR (Avis de Réception) », qui peut s'abréger en « RAR ». Par exemple :

Confidentiel
Objet : communication du dossier médical de François Durand
Recommandé AR

À droite Sur la partie supérieure droite de la lettre, et de haut en bas, en les séparant par un blanc, on indiquera les coordonnées du destinataire :
– nom et/ou fonction, éventuellement précédés de « À l'attention de » si la lettre s'adresse à une personne précise et non à un service (mais vous pouvez aussi bien faire figurer cette mention en haut et à gauche de votre lettre) ;
– nom de l'établissement ;
– numéro et rue ;
– localité, facultatif ;
– code postal et bureau distributeur ;
– lieu d'origine et date de la lettre (jour, mois et année). Attention : on ne met pas de majuscule aux jours et aux mois.

Le bas de la lettre

En bas à gauche de la lettre et placée plus bas que la signature, on peut également ajouter :
• PJ (pièces jointes), pour donner le nom ou le nombre des documents joints au courrier, par exemple :

– PJ : extrait de casier judiciaire, photocopie du livret de famille
– PJ : 2
• P-S (post-scriptum, mots latins signifiant « écrit après ») pour préciser un détail oublié. Le post-scriptum ne doit jamais dépasser deux lignes, ni traiter un aspect essentiel de la lettre. Mieux vaut d'ailleurs éviter d'utiliser cette mention.
• NB (nota bene, locution latine signifiant « notez bien »), note mise en marge ou parfois en bas d'un texte pour attirer l'attention sur une remarque ou une observation importante.

EXEMPLE   **PRÉSENTATION DE LETTRE**

Monsieur Pierre DURAND
Société champion
105, avenue du Port
13352 Marseille

Paris, le 25 novembre 2003

À l'attention de Madame Claude Lebon

Madame,
Nous avons bien reçu votre lettre _____
_____
_____
_____
_____

Madame Ariane Baudon
9, square de Clignancourt
75018 Paris
Tél. : 01 42 55 95 45

Paris, le samedi 11 mai 2002

Chère Madame,

La conférence que vous avez donnée cet après-midi sur le Japon m'a vivement intéressée. Vous avez notamment mentionné un ouvrage sur l'histoire et la culture des bonsaïs qui a l'air tout à fait passionnant. Auriez-vous l'amabilité de m'en donner les références exactes afin que je puisse me le procurer ?

Avec mes remerciements, je vous prie d'agréer, Chère Madame, l'expression de mon meilleur souvenir.

[signature]
A. Baudon

Paris, mercredi soir 15 mai

Chère Anne,

Ta visite de cet après-midi m'a beaucoup touchée et je voulais t'en remercier sans tarder.

J'ai été très heureuse de pouvoir discuter avec toi de ce projet. Il me paraît, réflexion faite, vraiment très intéressant.

Tiens-moi au courant. À bientôt.

Je t'embrasse.

Marie-Laurence

MODÈLE **LETTRE DACTYLOGRAPHIÉE**

François Renard
6, rue des Vosges
La Haute Laye
88400 Gérardmer

À l'attention de
Monsieur Torrent
Agence Les Sables
5, rue du Marché
Saint-Jean-de-Monts

Gérardmer, le 5 juin 2003

Objet : réservation de la villa « Mon rêve »

Monsieur,

Suite à notre entretien téléphonique du 4 juin, je vous confirme ma réservation de la villa « Mon rêve », 5, rue Blanche, à Saint-Jean-de-Monts, pour la période du 15 au 30 juillet 2003.

J'ai bien noté que cette villa se trouve à 300 m de la mer et à 500 m des principaux commerçants. « Mon rêve » comporte un salon, une salle à manger, trois chambres dotées chacune de deux lits jumeaux et une cuisine équipée d'un lave-vaisselle.

Comme convenu, je vous envoie un chèque de 762 euros pour la réservation et vous règlerai la somme de 2 440 euros à la remise des clés.

Veuillez agréer, Monsieur, l'expression de mes salutations distinguées.

[signature]
François Renard

PJ : un chèque de 762 euros, n° 458 796 54 sur le Crédit des Vosges

■ L'ENVELOPPE

Le format de l'enveloppe, la rédaction du nom et de l'adresse répondent en partie à des règles édictées par les services postaux. Mais cela n'empêche pas que la qualité du papier, l'écriture, la disposition, l'orthographe contribuent à donner une première impression favorable ou défavorable à celui qui reçoit votre courrier.

L'enveloppe et le Scotch

Si votre enveloppe colle mal, mettre du Scotch pour la fermer manque totalement d'élégance. N'en utilisez surtout pas pour une correspondance mondaine ou pour envoyer votre CV à un éventuel futur employeur !

Le choix de l'enveloppe

Le format de la lettre et celui de l'enveloppe doivent être identiques. On ne glisse pas une lettre de 21 x 14,8 cm dans une grande enveloppe rectangulaire.

Couleur L'enveloppe doit toujours être assortie à la couleur et à la qualité du papier. On ne met pas une feuille de papier vergé bleu dans une enveloppe blanche.

Préimprimée Les enveloppes préimprimées (où est indiqué l'emplacement du code postal) sont pratiques pour les services postaux, mais de qualité ordinaire et doivent être réservés au courrier courant.

À fenêtre Les enveloppes « à fenêtre » sont utilisées pour le courrier commercial ou d'affaires. L'adresse inscrite sur la première page de la lettre doit apparaître parfaitement au centre dans la « fenêtre » de l'enveloppe.

Doublée Si vous voulez que votre courrier donne une impression de raffinement, glissez votre lettre dans une enveloppe doublée. C'est plus chic et cela évite que des indiscrets puissent déchiffrer l'écriture par transparence.

Où écrire ?

La présentation de l'enveloppe doit respecter des règles précises édictées par La Poste et concernant entre autres l'emplacement de l'adresse, du code postal, etc.

La mise en page de l'adresse sur l'enveloppe doit donner un sentiment d'harmonie et d'équilibre : des marges suffisantes doivent être laissées libres tout autour. Et, si vous la rédigez à la main, soignez votre écriture : elle doit être régulière, suivre des lignes horizontales et surtout être parfaitement lisible.

Recto L'adresse du destinataire doit se situer en bas à droite de l'enveloppe, et le timbre en haut à droite. Le haut du coin gauche est à la disposition de l'expéditeur pour y placer des indications supplémentaires telles que son cachet ou les mentions « faire suivre », « personnel », etc.

Verso Au dos, tout en haut, l'expéditeur pourra indiquer son adresse afin que le courrier lui revienne s'il n'atteint pas son destinataire.

■ RÉDIGER L'ADRESSE

Quand l'adresse du destinataire est bien rédigée, la lettre a toutes les chances d'arriver. Il est important de respecter ces règles, notamment pour le courrier d'affaires.

Les principes généraux

La rédaction complète de l'adresse ne doit pas dépasser six lignes. Les informations doivent être ordonnées en allant du particulier au général, c'est-à-dire en partant du nom du destinataire pour arriver au code postal et au nom du bureau distributeur, voire à la désignation du pays. Le code postal doit être composé en capitales et ne comporter ni accent ni ponctuation. Ainsi, on ne mettra pas de traits d'union au nom composé d'une localité.

Le destinataire

Veillez à respecter scrupuleusement l'orthographe du nom de famille de

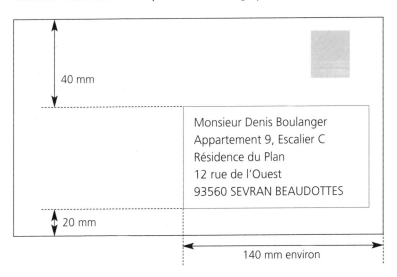

40 mm

Monsieur Denis Boulanger
Appartement 9, Escalier C
Résidence du Plan
12 rue de l'Ouest
93560 SEVRAN BEAUDOTTES

20 mm

140 mm environ

Madame Francine Liber
Directrice des ressources humaines
EDIMEDIA
5 boulevard du Versant Nord
G1N 4G2 SAINTE FOY QUEBEC
CANADA

votre destinataire. Rien n'est plus agaçant que de voir son patronyme écrit avec une faute.

Abréviations Écrivez l'appellation en entier : Monsieur, Madame, Mademoiselle, Docteur, Maître, etc. Les abréviations sont considérées comme moins polies et sont tolérées seulement pour le courrier administratif. Mais, si vous les employez, faites-le correctement :

Adresse pour les pays étrangers

Pour les pays étrangers, conformez-vous aux indications données par vos correspondants, mais n'oubliez pas de toujours écrire le nom du pays en français.

– Monsieur : *M.* et non pas *Mr* (abréviation anglaise) ;

– Messieurs : *MM.* et non pas *Mrs* ;

– Madame : Mme ;

– Mademoiselle : Mlle ;

– Docteur : D^{r} ;

– Maître, Maîtres : M^{e}, M^{es}.

Appellations En fonction de la situation familiale du (ou des) destinataire(s), on écrira sur l'enveloppe :

• Couple marié : Monsieur et Madame Jean Belon (sans inverser l'ordre).

• Femme mariée : Madame Jean Belon.

• Femme divorcée : Madame Françoise Renon. La tradition veut que l'on ne désigne les femmes par leur propre prénom que lorsqu'elles sont divorcées ou dans le cadre professionnel. Mais c'est là encore un usage en voie de disparition.

- Homme : Monsieur François Belon.
- Couple non marié : Madame *[ou Mademoiselle]* Isabelle Renon.

Prénom et nom Placez toujours le prénom avant le nom : Monsieur Pierre Durand (et non pas Monsieur Durand Pierre, usage que vous laisserez aux administrations).

Aux bons soins de Si votre destinataire habite temporairement chez un tiers, vous lui adresserez son courrier aux bons soins ou c/o (*care of* en anglais) de la personne qui l'héberge. La formule « chez » est aussi claire mais moins élégante.

Monsieur Pierre DURAND
c/o Madame Annie PUIG
15 rue Blanche
57325 METZ

Monsieur Pierre DURAND
Aux bons soins de Mme PUIG
15 rue Blanche
57325 METZ

L'adresse

La ponctuation et les abréviations facilitent l'écriture. Mais pour ne pas entraver la lecture, elles doivent être employées à bon escient en suivant quelques règles simples.

Majuscules Écrivez en majuscules le nom du bureau distributeur et éventuellement celui du destinataire

ainsi que, pour les lettres d'affaires, celui de l'établissement dans lequel votre correspondant travaille.

Virgule Concernant l'adresse proprement dite, ne mettez pas de virgule entre le numéro de la rue et son nom. N'utilisez pas non plus de traits d'union pour relier les noms composés.

Abréviations Il faut employer le moins d'abréviations possible sauf pour :
– avenue : *av.* ;
– boulevard : *bd* ;
– faubourg : *fg* ;
– Saint : *St* ;
– Saints : *Sts* ;
– Sainte : *Ste* ;
– Saintes : *Stes*.
Autres abréviations utiles :
– Compagnie : Cie ;
– Établissements : *Éts* ;
– Société : $S^{té}$.

Courrier déposé Si vous n'envoyez pas votre courrier par La Poste mais que vous le portiez directement à l'adresse de son destinataire, il est d'usage de ne pas écrire son adresse sur l'enveloppe mais la mention : EV, qui signifie « En ville », inscrite en gros et au centre de l'espace disponible au-dessous du nom.

Monsieur Pierre DURAND
EV

Dans les différents moments heureux ou malheureux qui ponctuent une vie, on ne sait pas toujours quand écrire ou répondre. Il est parfois essentiel de respecter quelques usages et de faire preuve de délicatesse pour ne pas froisser le destinataire de la lettre.

Quand écrire

Si vous désirez remercier quelqu'un pour un service rendu, témoigner votre sympathie à un ami en deuil ou souffrant, féliciter une amie pour la naissance de son enfant, ne remettez pas toujours la tâche au lendemain. Le contenu de votre lettre est important, mais la rapidité avec laquelle vous l'adressez l'est tout autant. Ce qui, en outre, vous évitera parfois même d'oublier de l'écrire !

Quand répondre

Attendre plus de huit jours pour répondre à une lettre risque de passer pour de l'indifférence ou de l'impolitesse. S'il vous manque des informations pour répondre à une question posée dans le courrier reçu, vous pouvez toujours envoyer un petit mot, du genre : « Juste un petit mot pour te dire que j'ai bien reçu ta lettre et que j'y répondrai plus longuement dès que j'aurai réuni toutes les informations nécessaires... »

Enveloppe timbrée

Parfois se pose la question de joindre ou non une enveloppe timbrée.

Familial On n'envoie pas de timbres pour la réponse à ses proches (au risque de les blesser). Si votre correspondant est vraiment dans la gêne, vous pouvez toutefois lui adresser un « joli » timbre en lui demandant de bien vouloir l'utiliser afin qu'il vous parvienne oblitéré pour votre collection.

Officiel En revanche, mieux vaut joindre une enveloppe timbrée à votre adresse si vous écrivez à une association, à un office de tourisme, à une mairie, etc.

De la main à la main Si l'on demande à un ami ou à une relation de poster ou d'aller déposer une lettre, il est d'usage de la lui donner non close. C'est une preuve de confiance. La courtoisie veut alors que celui à qui l'on confie la lettre la cachette aussitôt devant l'expéditeur. C'est là un usage délicat et de bonne éducation, mais qui n'est plus guère pratiqué. Par contre, vous fermerez vous-même une lettre que vous devez confier à un coursier.

Le contenu de la lettre

■ **RÉDIGER UNE LETTRE**, PAGE 25 ■ **COMMENCER ET TERMINER**, PAGE 28 ■ **LES CAS PARTICULIERS**, PAGE 32

*U*ne lettre doit susciter l'intérêt du destinataire du début à la fin. Le ton, le style, le respect de l'orthographe et de la grammaire facilitent la lecture et la compréhension du message. Voici quelques exemples d'expressions à bannir, des conseils pour affiner votre propos et les règles précises pour bien choisir les formules d'appel et de politesse.

■ RÉDIGER UNE LETTRE

On rédige toujours une lettre en fonction de son destinataire. Elle doit avoir un sens et une cohérence renforcée par un ton uni, une orthographe irréprochable et un style agréable à lire. Elle se finit toujours par une formule de politesse aux règles bien établies.

Le ton

Pour rédiger une lettre, commencez par réfléchir à ce que vous voulez dire et aux rapports que vous souhaitez établir ou entretenir avec votre destinataire. S'il s'agit d'une lettre à un correspondant très cher, donnez libre cours à votre spontanéité. Mais si vous adressez un témoignage de sympathie à une personne que vous connaissez moins bien, il vous faudra à la fois laisser parler votre cœur et respecter les codes de politesse. Si vous répondez à un courrier, relisez-le afin d'être sûr de l'avoir bien compris ou de ne pas demander des précisions que l'on vous a déjà données. Si vous êtes en litige avec la personne ou l'organisme auxquels vous écrivez, vous pourrez adopter un ton ferme, voire menaçant, mais rester toujours courtois, sans quoi vos arguments perdraient tout leur poids...

Les conseils généraux

Quel que soit le propos de la lettre, mieux vaut commencer par rédiger un plan ou un brouillon. Vérifiez soigneusement la grammaire et l'orthographe, y compris les accents, la ponctuation et l'emploi des majuscules. Efforcez-vous d'alléger et de rendre plus vivant votre style en mettant à profit les quelques conseils, simples, donnés dans ce chapitre.

Relisez toujours attentivement votre lettre avant de la glisser dans l'enveloppe. S'il s'agit d'un courrier d'affaires, gardez-en toujours un double (brouillon, photocopie ou fichier informatique sur votre ordinateur...).

L'emploi du « Je »

Dans la mesure du possible, il faut éviter de commencer sa lettre par « Je » et ne pas abuser des « Je » en début de phrase afin de ne pas donner l'impression de vous mettre sans cesse en avant. Respectez en particulier cet usage dans vos lettres de candidature ou lorsque vous vous adressez à des personnes respectueuses des conventions.

Avec un peu d'entraînement, il n'est pas très compliqué de contourner cette difficulté.

Un style plus nerveux

Le style d'une lettre doit aider la lecture et non l'entraver. Il est préférable de faire simple et court. Voici quelques habitudes à bannir pour faciliter la lecture de votre correspondant.

Phrases longues Au-delà d'une vingtaine de mots, le lecteur risque de perdre le sens du message.

Formules inutiles Certaines expressions n'apportent rien à votre propos, par exemple : « il est intéressant de noter que... », « en l'état actuel des choses... », « il faut souligner que... », « ainsi donc », « par la présente », etc.

Formules ampoulées Au lieu d'écrire : « J'ai l'honneur de solliciter de votre bienveillance », écrivez plutôt : « Pouvez-vous avoir l'amabilité de... ».

Participes présents L'emploi du participe présent alourdit le style. Préférez plutôt le participe passé ou les adjectifs :

• ayant été déçue par ta réponse / déçue par ta réponse
• ayant la certitude / sûr de
• n'ayant pas entendu parler de / ignorant de...

Ce qu'il faut éviter

Pour être bien comprise par le correspondant, une lettre doit éviter certaines formulations.

Tournures négatives Il est plus facile de comprendre une tournure positive que négative :
• vous n'êtes pas sans savoir que / vous savez sans doute que
• il n'a pas voulu accepter / il a refusé de
• il n'en fallait guère plus pour / c'était assez pour

Tournures passives Préférez les tournures actives aux tournures passives :
• il est défendu par de nombreuses personnes / de nombreuses personnes le défendent
• les travaux ont été achevés / les travaux se sont achevés

Propositions relatives Remplacez les « que » et les « qui », les « dont » et les « auxquels » par des adjectifs, des noms, des participes ou des infinitifs :
• une action qui est digne de louanges / une action louable
• un fait dont les conséquences sont imprévisibles / un fait aux conséquences imprévisibles
• la vie qu'a menée cet homme / la vie menée par cet homme
• il y a des gens qui / certaines personnes
• avant que je me décide / avant de me décider
• le mur qui sépare / le mur séparatif
• des paroles dont on se souviendra longtemps / des paroles mémorables

Quelques expressions courantes	
Plutôt que...	**... écrivez**
J'ai bien reçu votre lettre	Votre lettre m'est bien parvenue
Je vous envoie en réponse à votre lettre	En réponse à votre lettre, je vous envoie
J'ai tardé à vous écrire	Voici longtemps que je voulais vous écrire
Je souhaiterais recevoir	Pouvez-vous avoir l'amabilité de me faire parvenir
J'ignore ce que vous pensez de ma proposition	Dans l'ignorance de votre réaction à ma proposition

Pour être précis

Travailler son expression en variant son vocabulaire permet de se faire comprendre par son destinataire sans risque de contresens.

Pas de répétitions N'hésitez pas pour varier le vocabulaire à vous aider d'un dictionnaire des synonymes ou d'un dictionnaire analogique. Ne tombez pas non plus dans l'excès contraire, surtout lorsqu'il s'agit d'une lettre d'affaires, où la rigueur prime.

Pas de pléonasmes C'est la répétition d'une même idée. Les exemples suivants sont les plus courants : incessamment sous peu ; car en effet ; et puis ensuite ; collaborer ensemble ; préparer d'avance ; descendre en bas ; ces deux alternatives ; panacée universelle, etc.

Pas de généralités Il faut illustrer son propos. Au lieu de dire seulement : « c'est une jeune fille parfaite », décrivez quelques-unes de ses qualités : « elle est toujours souriante, serviable, dynamique ».

Le mot juste Voici quelques exemples d'expressions qui illustrent avec précision une idée. Le plus souvent, cela permet d'être concis. N'hésitez pas à consulter le dictionnaire pour affiner votre propos.
- avoir des nouvelles de quelqu'un / recevoir des nouvelles
- avoir des idées / exprimer des idées, professer des idées
- faire un discours / prononcer un discours
- faire la Grèce / visiter la Grèce, voyager en Grèce
- réunir un dossier / établir, constituer un dossier

■ COMMENCER ET TERMINER

Les formules types pour commencer et terminer une lettre sont très nombreuses. Il est parfois difficile de savoir laquelle d'entre elles employer vis-à-vis de telle ou telle personne. D'autant qu'elles ont souvent un caractère désuet et purement conventionnel.

Commencer une lettre

La tendance actuelle va vers la simplification. Mais il peut être utile de connaître les règles, les nuances et certains cas particuliers.

Destinataire inconnu Vous ne connaissez pas du tout votre correspondant, vous ignorez même s'il s'agit d'un homme ou d'une femme, commencez par :
- Monsieur (jamais Monsieur Dupont) ;
- Messieurs ;
- Monsieur, Madame.

Respect Vous connaissez mal votre correspondant, ou bien vous le connaissez un peu et vous voulez lui marquer votre respect car il est très âgé ou d'un rang supérieur. Commencez par :
– Monsieur ;
– Madame (femme mariée ou divorcée, mère célibataire, femme non mariée d'un certain âge) ;
– Mademoiselle (jeune fille).

Estime Vous connaissez un peu votre correspondant, vous voulez lui témoigner une certaine estime, vous pouvez choisir de commencer par :
– Cher Monsieur ;
– Chère Madame ;
– Chère Mademoiselle ;
– Cher ami, Chère amie (à la fois proche et distant).

Collègue Votre destinataire est un collègue, vous pouvez entamer par :
– Cher confrère, mon Cher confrère, Chère consœur (entre membres de professions libérales) ;
– Cher collègue, Cher *[Chère]* collègue et ami*[e]* (entre fonctionnaires).

Relation Votre correspondant est un parent éloigné, une connaissance ou une relation de travail que vous appelez par son prénom, commencez votre courrier par :
– Cher Pierre, Mon Cher Pierre ;
– Chère Marie, Ma Chère Marie ;
– Mon Cher ami, ma Chère amie.

Proches Pour les proches, libre à vous de choisir par quelle formule commencer :
– Chère tante Odile ;
– Ma Chère tante Odile.

Terminer une lettre

Pour bien terminer une lettre, il est d'usage de conclure par une formule de politesse. Cette formule, placée

Les fautes à éviter

N'écrivez pas « Cher Monsieur Dupont » (en France on ne met jamais le nom propre après Monsieur, Madame ou Mademoiselle) mais plutôt « Mon Cher Dupont ».
N'écrivez pas « Chers Monsieur et Madame » mais « Cher Monsieur, Chère Madame ».
N'écrivez pas « Mon Cher Monsieur », « Ma Chère Madame » ni « Ma Chère Mademoiselle ».

juste avant la signature, se construit dans la majorité des cas en reprenant la formule d'appel utilisée au début de la lettre, par exemple :

Chère Madame,…
Je vous prie de croire, Chère Madame, à mon meilleur souvenir.

La formule de politesse varie selon les relations que l'on a avec son correspondant ; toutefois une femme évitera d'utiliser le mot « sentiments » pour s'adresser à un homme.

Dévouement Pour exprimer le respect et/ou le dévouement à une personne d'un rang élevé, vous pouvez terminer par :
• Je vous prie d'agréer *[de bien vouloir agréer, Daignez agréer]*, Monsieur *[Madame]*, l'expression de ma *[très]* haute considération.
• Je vous prie d'agréer, Monsieur *[Madame]*, l'expression de mon *[très]* profond respect.
• Veuillez agréer *[Agréez]*, Monsieur *[Madame]*, l'expression de mon respectueux *[sincère]* dévouement.
• Je vous prie d'accepter *[de bien vouloir accepter]*, Monsieur *[Madame]*, l'expression de mes sentiments déférents *[respectueux]* et dévoués *[de mes sentiments fidèlement dévoués, de mes sentiments dévoués]*

(uniquement de la part d'un homme s'adressant à un homme ou d'une femme s'adressant à une femme).

Respect Pour exprimer le respect à une personne d'un rang supérieur ou plus âgée que vous, vous pouvez terminer par :
• Veuillez croire, Monsieur *[Madame]*, en l'expression de mes sentiments très respectueux (de la part d'un homme à un homme ou d'une femme à une femme).
• Je vous prie d'agréer *[Veuillez agréer]*, Madame, l'expression de mes *[respectueux]* hommages (d'un homme à une femme seulement).

Pour exprimer un certain respect à un supérieur ou à une relation d'affaires, vous pouvez terminer par :
• Veuillez agréer, Monsieur *[Madame, Docteur, Monsieur le Docteur, Madame le Docteur, Maître…]*, l'expression de ma considération distinguée.
• Je vous prie d'agréer, Monsieur *[Madame]*, l'expression de mon respectueux souvenir.
• Veuillez agréer, Monsieur *[Madame]*, l'expression de mes sentiments distingués (de la part d'un homme à un homme ou d'une femme à une femme).

Reconnaissance Pour exprimer votre reconnaissance, terminez par :
• Veuillez agréer *[Je vous prie*

d'agréer], Monsieur [Madame], l'expression de ma respectueuse [profonde] reconnaissance [gratitude].

• Croyez, Monsieur [Madame], à toute ma [sincère] reconnaissance [gratitude].

Condoléances Pour écrire une lettre de condoléances, ou un témoignage de sympathie, vous pouvez terminer par :

• Veuillez agréer [Je vous prie d'agréer], Monsieur [Madame], l'expression de mes très sincères condoléances.

• Je vous prie d'agréer [Veuillez agréer], Monsieur [Madame], l'expression de mes sentiments [profondément] attristés [affligés] (de la part d'un homme s'adressant à un homme ou d'une femme s'adressant à une femme).

• Veuillez agréer, [Cher, Chère] Monsieur [Madame], l'expression de ma [très] respectueuse sympathie.

• Veuillez agréer [Agréez], Cher [Chère] Monsieur [Madame], l'expression de ma très amicale sympathie.

Lettre d'affaires Pour terminer une lettre d'affaires par une formule neutre, vous pouvez écrire :

• Veuillez agréer [recevoir], Monsieur [Madame], [l'expression de] mes salutations distinguées [les meilleures].

• Veuillez agréer, Madame, mes respectueuses salutations (d'un homme s'adressant à une femme).

Relations Pour écrire à un égal avec qui vous avez des relations un peu formelles mais amicales, vous pouvez terminer par :

• Veuillez agréer, Cher [Chère] Monsieur [Madame], l'expression de mes sentiments [les plus] cordiaux [l'expression de mon fidèle souvenir] (de la part d'un homme s'adressant à un homme ou d'une femme s'adressant à une femme).

• Croyez, Cher [Chère] Claude, à mon amical souvenir [à mon meilleur souvenir, à ma très sincère amitié].

Proches Pour écrire à des personnes avec qui vous avez des relations de travail ou d'affaires plutôt informelles, ou à des intimes, vous pouvez terminer votre lettre par ces formules brèves et familières. Elles n'obligent pas à reprendre la formule d'appel tout en respectant les usages liés à la formule de politesse :

• Sentiments distingués [dévoués, amicaux, les plus cordiaux...] (de la part d'un homme s'adressant à un homme ou d'une femme s'adressant à une femme).

• Sincèrement vôtre [Bien amicalement, Avec mon meilleur souvenir, Toute ma sympathie, Toute mon amitié].

■ LES CAS PARTICULIERS

Destinataire	Sur l'enveloppe	Formule d'appel
CHEFS D'ÉTAT, SOUVERAINS, PRÉTENDANTS AU TRÔNE		
Chef d'État	*Monsieur le Président de la République française* *Madame la Présidente de la République...*	*Monsieur le Président de la République,* *Madame la Présidente de la République,*
Roi [Reine]	*À sa Majesté Royale, le Roi* [la Reine] *de...*	*Sire* [Madame],
Prince [Princesse] de familles régnantes	*À son Altesse Royale, le Prince Albert* [la Princesse Anne] *de...*	*Monseigneur* [Madame],
Grand maître de l'Ordre souverain de Malte	*À son Altesse Éminentissime, Monseigneur le grand maître de l'Ordre souverain de Malte.*	*Monseigneur,*

Formule finale

J'ai l'honneur [Daignez agréer], *Monsieur* [Madame] *le* [la]
Président[e] *de la République, de vous prier d'agréer
l'expression de ma très haute considération.*

*Daignez agréer, Madame la Présidente de la République, l'expression
de mes très respectueux hommages* (de la part d'un homme).

*Daignez agréer, Madame la Présidente de la République, l'expression
de mes très respectueux sentiments* (de la part d'une femme).

*C'est avec un profond respect que j'ai l'honneur de me déclarer,
Sire* [Madame], *de Votre Majesté le* [la] *très humble et très
obéissant*[e] *fidèle serviteur* [servante]
ou la formule en usage en Belgique :
Je prie le Roi [la Reine] *de bien vouloir agréer l'expression
de mon profond respect.*

Daigne, Monseigneur [Madame], [Votre Altesse], *agréer
l'expression de ma très respectueuse considération*
[de mon profond et respectueux dévouement]
ou *Votre Altesse Royale voudra bien agréer l'expression
de mon profond respect* [ou l'hommage de mon profond
respect, si on s'adresse à une femme].

*Daignez, Votre Altesse, agréer l'expression de ma
respectueuse considération.*

Destinataire	Sur l'enveloppe	Formule d'appel

MEMBRES DE L'ACADÉMIE, ARTISTES

	Monsieur [Madame] *Dominique Coupat*	*Maître,*

MEMBRES DU CORPS DIPLOMATIQUE

Ambassadeur (homme ou femme)	*Son Excellence Monsieur* [Madame] *Claude Dupont Ambassadeur de France en Belgique*	*Monsieur* [Madame] *l'Ambassadeur,*
Épouse d'un ambassadeur	*Madame l'Ambassadrice* ou *Son Excellence Monsieur l'Ambassadeur de France et Madame Dupont*	*Madame l'Ambassadrice,*

MEMBRES DU CORPS ENSEIGNANT

Professeur de faculté	*Monsieur* [Madame] *le Professeur*	*Monsieur* [Madame] *le Professeur,*
Doyen d'université	*Monsieur* [Madame] *le Doyen*	*Monsieur* [Madame] *le Doyen,*
Recteur d'université	*Monsieur* [Madame] *le Recteur*	*Monsieur* [Madame] *le Recteur,*
Inspecteur d'académie	*Monsieur* [Madame] *l'Inspecteur de l'académie de...*	*Monsieur* [Madame] *l'Inspecteur de l'académie,*

Formule finale

*Je vous prie d'agréer, Maître, l'expression
de ma respectueuse considération.*

Je vous prie d'agréer, Monsieur [Madame] *l'Ambassadeur,
les assurances de mes sentiments respectueux.
Je vous prie d'agréer, Monsieur* [Madame] *l'Ambassadeur,
l'expression de ma très haute considération.
J'ai l'honneur, Monsieur* [Madame] *l'Ambassadeur,
de présenter à Votre Excellence l'expression
de ma très haute considération.*

*Je vous prie d'agréer, Madame l'Ambassadrice, l'expression
de mes hommages respectueux* (de la part d'un homme).
*Je vous prie d'agréer, Madame l'Ambassadrice,
l'expression de mes très respectueux sentiments*
(de la part d'une femme).

Je vous prie d'agréer, Monsieur [Madame] *le Professeur*
[le Recteur...]*, l'expression de ma considération distinguée*
[de mes respectueux sentiments...].

Destinataire	Sur l'enveloppe	Formule d'appel
MEMBRES DU CORPS ENSEIGNANT		
Directeur d'un établissement scolaire	*Monsieur* [Madame] *le Proviseur*	*Monsieur* [Madame] *le Proviseur,*
	Monsieur [Madame] *le Principal*	*Monsieur* [Madame] *le Principal,*
	Monsieur [Madame] *le Directeur* [ou la Directrice]	*Monsieur* [Madame] *le Directeur,* [ou la Directrice]
Professeur	*Monsieur* [Madame]	*Monsieur* [Madame]
MEMBRES DE LA NOBLESSE		
Prince [*Princesse*]	*Prince* [et Princesse François] *de Grâce*	*Prince,* *Princesse,*
Duc [*Duchesse*]	*Duc* [et Duchesse Pierre] *de La Tour*	*Monsieur le Duc,* *Madame la Duchesse,*
Marquis [*Marquise*], Comte [*Comtesse*], Vicomte [*Vicomtesse*], Baron [*Baronne*]	*Marquis* [et Marquise Jean] *de Noble* *Comte* [et Comtesse Louis] *du Verger* *Vicomte de Camp* *Colonel et Baronne Arnaud de La Plaine*	*Monsieur* [Madame], *Mon Cher Marquis* [Mon Cher Comte, Mon Cher Vicomte...], *Cher Monsieur* [Chère Madame],
MEMBRES DES PROFESSIONS LIBÉRALES		
Avocat (homme ou femme)	*Maître Dominique Barrot*	*Maître, Cher Maître,*
Médecin (homme ou femme)	*Docteur Dominique Santot*	*Docteur, Cher Docteur,*

Formule finale

Je vous prie d'agréer, Monsieur [Madame] *le Proviseur* [le Principal, le Directeur], *l'expression de ma considération distinguée* [de mes sentiments respectueux].

Je vous prie d'agréer, Monsieur [Madame], *l'expression de mes respectueux sentiments* [de toute ma reconnaissance].

Je vous prie d'agréer, Prince [Monsieur le Duc, Monsieur, Mon Cher Marquis, etc.], *l'expression de ma respectueuse considération* [de mon meilleur souvenir...].

La formule varie selon les relations entre les correspondants.

Veuillez agréer [Recevez], *Maître* [Cher Maître, Docteur], *l'expression de ma considération distinguée.*

La formule peut varier selon les relations entre les correspondants.

Destinataire	Sur l'enveloppe	Formule d'appel
MILITAIRES GRADÉS		
Général	*Le Général François Dupond*	*Mon Général,* (si c'est un homme qui écrit) *Général,* (si c'est une femme qui écrit, ou si le général est une femme)
Épouse d'un militaire gradé	*Madame François Dupond*	*Madame,*
Colonel	*Monsieur* [Madame] *le Colonel Claude Armais*	*Mon Colonel,* (si c'est un homme qui écrit à un colonel masculin) *Colonel,* (si c'est une femme qui écrit, ou si le colonel est une femme)
Commandant	*Commandant Dominique Durand*	*Mon Commandant,* (si c'est un homme qui écrit à un homme) *Commandant,* (si c'est une femme qui écrit, ou ou si le commandant est une femme)
OFFICIERS MINISTÉRIELS		
Notaire, commissaire-priseur, huissier	*Maître Cardon*	*Maître, Cher Maître,*
Agent de change	*Monsieur Randopis Agent de change*	*Monsieur,*

Formule finale

Je vous prie d'agréer, [Mon] *Général, l'expression de ma haute considération.*

Je vous prie d'agréer, Madame, l'expression de mes hommages respectueux (venant d'un homme) [l'expression de mes sentiments respectueux (venant d'une femme)].

Veuillez agréer, [Mon] *Colonel, l'expression de mes respectueux sentiments* (venant d'un homme) [l'expression de ma considération (venant d'une femme)].

Je vous prie d'agréer, [Mon] *Commandant, l'expression de ma considération distinguée* [mes salutations distinguées].

Veuillez agréer [Recevez], *Maître* [Cher Maître, Monsieur], *l'expression de ma considération distinguée.*

La formule peut varier selon les relations entre les correspondants.

Destinataire	Sur l'enveloppe	Formule d'appel

PERSONNALITÉS POLITIQUES, ADMINISTRATIVES ET JUDICIAIRES

Destinataire	Sur l'enveloppe	Formule d'appel
Premier ministre *[ancien Premier ministre]*	*Monsieur le Premier ministre* [Madame le Premier ministre]	*Monsieur le Premier ministre* [Madame le Premier ministre],
Ministre, secrétaire d'État *[ancien ministre, ancien secrétaire d'État]*	*Monsieur Dubois Ministre de l'Économie Madame Dubois Ministre des Droits de la femme*	*Monsieur* [Madame] *le Ministre,*
Ministre de la Justice	*Monsieur* [Madame] *le Garde des Sceaux*	*Monsieur* [Madame] *le Garde des Sceaux,*
Procureur de la République	*Monsieur* [Madame] *le Procureur de la République*	*Monsieur* [Madame] *le Procureur de la République,*
Président et vice-président *[anciens président et vice-président]* **du Sénat, de l'Assemblée nationale, du Conseil d'État, etc.**	*Monsieur* [Madame] *Dominique Durand Président*[e] *de l'Assemblée nationale*	*Monsieur* [Madame] *le* [la] *Président*[e],
Sénateur, député, préfet, sous-préfet, maire	*Monsieur* [Madame] *Claude Dubois Sénateur* [Député, Préfet, Sous-Préfet, Maire] *de Loire-Atlantique* [de Savenay]	*Monsieur* [Madame] *le Sénateur* [le Député, le Préfet, le Sous-Préfet, le Maire],

Formule finale

Je vous prie de bien vouloir agréer, Monsieur [Madame] *le Premier ministre, l'expression de ma très haute considération.*

Je vous prie de bien vouloir agréer, Monsieur [Madame] *le Ministre, l'expression de ma très haute considération.*

Je vous prie de bien vouloir agréer, Monsieur [Madame] *le Garde des Sceaux, l'expression de ma très haute considération.*

Je vous prie d'agréer, Monsieur [Madame] *le Procureur de la République, l'expression de ma respectueuse considération.*

Je vous prie de bien vouloir agréer, Monsieur [Madame] *le* [la] *Président*[e]*, l'expression de ma haute considération.*

Je vous prie de bien vouloir agréer, Monsieur [Madame] *le Sénateur* [le Député, le Préfet, le Sous-Préfet, le Maire]*, l'expression de ma haute considération.*

Destinataire	Sur l'enveloppe	Formule d'appel
PERSONNALITÉS POLITIQUES, ADMINISTRATIVES ET JUDICIAIRES		
Conseiller général, conseiller municipal, adjoint au maire	*Monsieur François Dupont Conseiller général de Mayenne* [conseiller municipal, adjoint au maire de Seiches]	*Monsieur le Conseiller général* [le conseiller, l'adjoint],
	Madame Anne Dupont Conseillère générale de Mayenne [conseillère municipale, adjointe au maire de Seiches]	*Madame la Conseillère générale* [la conseillère, l'adjointe],
Premier Président de la Cour de cassation, de la Cour des comptes, des cours d'appel	*Monsieur* [Madame] *Claude Dupont Premier Président de la Cour des comptes*	*Monsieur* [Madame] *le Premier Président,*
PERSONNALITÉS RELIGIEUSES		
Pape	*À Sa Sainteté le Pape*	*Très Saint Père,*
Cardinal	*À Son Éminence le Cardinal Dubois Archevêque* [Évêque] *de...*	*Éminence, Monsieur le Cardinal,*

Formule finale

Je vous prie de bien vouloir agréer, Monsieur le Conseiller général [le conseiller, l'adjoint]*, l'expression de ma haute considération* [de ma considération distinguée].

Je vous prie de bien vouloir agréer, Madame la Conseillère générale [la conseillère, l'adjointe]*, l'expression de ma haute considération* [de ma considération distinguée].

Je vous prie de bien vouloir agréer, Monsieur [Madame] *le Premier Président, l'expression de ma haute considération.*

Un catholique commencera sa lettre par : « *Très Saint Père, humblement prosterné aux pieds de Votre Sainteté et implorant la faveur de sa bénédiction apostolique...* » puis il exposera sa requête. À la fin de la lettre, il n'emploiera pas de formule de politesse mais terminera par « *Et que Dieu...* » en marquant des points de suspension.
Un non-catholique emploiera une formule finale du genre : *Daigne, Très Saint Père, Votre Sainteté agréer l'expression de ma très respectueuse considération.*

Daigne Votre Éminence agréer l'expression de ma très respectueuse considération [de mon très profond respect].

Destinataire	Sur l'enveloppe	Formule d'appel
PERSONNALITÉS RELIGIEUSES		
Nonce apostolique	*À Son Excellence Monseigneur Dubois, nonce apostolique*	*Monseigneur,* [*Monsieur le Nonce,*]
Archevêque et évêque	*À Son Excellence Monseigneur Dubois*	*Monseigneur, Monsieur l'Évêque,*
Supérieur(e) d'une communauté religieuse	*Révérend Père Dubois Révérende Mère Dubois*	*Mon Très Révérend Père, Ma Très Révérende Mère,*
Religieux	*Père* [*Mère, Frère, Sœur*] *Dominique Durand*	*Mon Père, Ma Mère, Mon Très Cher Frère, Ma Sœur,*
Abbé, aumônier	*Monsieur l'Abbé Dupont*	*Monsieur l'Abbé,*
Abbesse	*Révérendissime Mère Dominique Durand Abbesse de...*	*Révérendissime Mère,*
Pasteur, rabbin, imam	*Monsieur* [*Madame*] *le Pasteur Claude Marchand Monsieur le Rabbin David Goldstein Monsieur l'Imam Ahmed Hocine*	*Monsieur* [*Madame*] *le Pasteur, Monsieur le Rabbin, Monsieur l'Imam,*

Formule finale

J'ai l'honneur, Monseigneur [Monsieur le Nonce]*, de présenter
à Votre Excellence l'assurance de ma très haute considération*
[de ma respectueuse considération].

*Daigne Votre Excellence agréer l'expression de ma très
respectueuse considération.*

Je vous prie d'agréer, Mon Très Révérend Père [Ma Très
Révérende Mère]*, l'expression de mes sentiments respectueux*
[de mon respectueux souvenir].

Je vous prie d'agréer, Mon Père [Ma Mère]*, l'expression
de mes sentiments respectueux* [de mon respectueux souvenir].

La formule finale peut varier selon les relations entre les correspondants.

Je vous prie d'agréer, Monsieur l'Abbé [Ma Mère, Mon Très Cher Frère, Ma Sœur]*,
l'expression de mes sentiments respectueux* [de mon respectueux souvenir].

La formule finale peut varier selon les relations entre les correspondants.

*Veuillez agréer, Révérendissime Mère, l'assurance
de mes très respectueux sentiments.*

Je vous prie d'agréer, Monsieur le Pasteur [le Rabbin, l'Imam]*,
l'expression de mes sentiments respectueux* [de mon respectueux
souvenir].

La formule finale peut varier selon les relations entre les correspondants.

Les autres supports

La correspondance écrite ne se limite pas à la lettre. Aux cartes postales et cartes de visite viennent maintenant s'ajouter le fax et l'e-mail. Les anciens supports ont assoupli leurs règles parfois strictes. Et les nouveaux doivent respecter quelques usages pour être agréables à lire.

■ LES CARTES POSTALES

Destinée le plus souvent à des proches, la carte postale a surtout pour but de dire à l'ami ou au parent que vous ne l'oubliez pas. Sa rédaction ne suit pas de règles rigides, mais, plus vous y mettrez du cœur, plus vous ferez plaisir...

Le choix

Choisissez la carte en fonction des goûts du destinataire. Évitez les cartes « humoristiques » et de mauvais goût, mais, si vous y tenez, mettez-les sous enveloppe.

Le message

Associée à l'idée de vacances et de voyages, la carte postale porte un bref message familial ou amical. Chacun décrira avec originalité ou avec cœur ce qu'il a vu. (La carte postale n'est pas faite pour fournir la preuve que l'on a visité l'Acropole ou fait un voyage au Népal.)

Éliminez le style télégraphique et les formules passe-partout (merveilleux voyage, voyage inoubliable, meilleur souvenir...). Vous avez toute la place nécessaire pour rédiger de vraies phrases. Même si votre carte ne comporte que quelques lignes, n'omettez pas la formule finale, même si elle est brève (bien à toi, amicalement, je pense à toi...).

N'oubliez pas que l'employé de la poste, la gardienne peuvent lire la carte, évitez donc toute confidence personnelle ou glissez-la dans une enveloppe.

Enfin, essayez d'éviter les envois par « fournées », notamment la veille de votre retour.

■ LES CARTES DE VISITE

La carte de visite, autrefois soumise à des règles très strictes, tolère maintenant davantage de fantaisie. Elle sert à donner son nom et son adresse à une personne que l'on rencontre, à faire connaître sa nouvelle adresse en cas de déménagement, à accompagner un cadeau ou un envoi, à adresser un court message de félicitations, de condoléances, de vœux ou de remerciements...

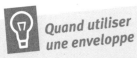

Quand utiliser une enveloppe

Mettez toujours sous enveloppe la carte postale que vous enverrez à un correspondant auquel vous devez des égards.

Les hommes et les femmes qui travaillent ont généralement une carte privée et une carte professionnelle.

Le papier et le format

Le papier classique est le bristol blanc. Pour pouvoir rédiger facilement, mieux vaut un format de 12,8 x 8 cm ou de 15,5 x 11 cm. Pour les cartes professionnelles qui s'échangent souvent sans correspondance, on utilise souvent un format de 5,5 x 9,5 cm, voire encore plus petit.

Les papiers de couleur, ou autres fantaisies, sont plutôt réservés aux usages entre intimes ou aux professionnels des milieux créatifs.

L'impression et la typographie

Les cartes les plus élégantes ont longtemps été les cartes gravées. Mais on utilise aussi aujourd'hui beaucoup les cartes en relief et moins les cartes imprimées. Méfiez-vous des distributeurs automatiques de cartes imprimées, dont les résultats sont généralement de mauvaise qualité.

Le caractère habituellement utilisé est le romain, dont les lettres droites sont plus simples et plus faciles à lire que les caractères anglais calligraphiés ou que les caractères gothiques. Mais il est possible de panacher ces différents caractères sur la même carte. Si vous n'avez pas de carte de visite imprimée à votre nom, vous pouvez toujours utiliser à la place un carton ou un bristol sur lequel vous écrivez votre nom à la main.

La présentation des cartes privées

Le nom figure en haut à gauche ou au milieu de la carte. L'adresse, le téléphone et parfois l'adresse e-mail sont indiqués à droite et à gauche, en haut ou en bas de la carte. La tradition voulait qu'une femme ou une jeune fille n'indique jamais son adresse et son numéro de téléphone sur sa carte de visite. Mais l'usage en est maintenant devenu courant.

Nom et prénom Les règles de présentation changent sensiblement en fonction de la situation familiale.

- Un homme indique son prénom et son nom : Paul Durand.
- Une femme célibataire indique son prénom et son nom sans les faire précéder de Mademoiselle, sauf si elle est âgée.

```
┌─────────────────────────────────────┐
│                                     │
│                                     │
│          Isabelle Dubois            │
│                                     │
│                                     │
│  25, rue de Lourmel    Tél. : 01 43 41 35 27 │
│  75015 Paris                        │
└─────────────────────────────────────┘
```

- Une femme mariée indique le prénom et le nom de famille de son mari, précédés de Madame.

```
┌─────────────────────────────────────┐
│                                     │
│                                     │
│        Madame Paul Durand           │
│                                     │
│           4, rue de l'Académie      │
│           80120 Amiens              │
└─────────────────────────────────────┘
```

- Une femme divorcée indique son prénom et son nom de jeune fille, précédés de Madame.

```
┌─────────────────────────────────────┐
│                                     │
│                                     │
│       Madame Isabelle Dubois        │
│                                     │
│  Tél. : (33-1) 46 25 12 88   3, place du Puits │
│                              59120 Loos │
└─────────────────────────────────────┘
```

- Une femme divorcée, si elle a conservé l'usage du nom de son mari, peut indiquer les deux noms (son nom de jeune fille suivi du nom de son ex-mari), en les juxtaposant par un trait d'union.

```
┌─────────────────────────────────────┐
│                                     │
│                                     │
│    Madame Isabelle Dubois-Durand    │
│                                     │
│        19, rue du Montparnasse      │
│        75006 Paris                  │
└─────────────────────────────────────┘
```

• Un couple marié indique M. et Mme en abréviation (jamais Mme avant M.), suivis du prénom puis du nom de famille du mari.

M. et Mme Paul Durand

674, place Publique   Tél. : (1-514) 689 14 00
H7X IGI Laval - Québec

• Quant aux couples vivant maritalement, ils peuvent innover, car la tradition n'avait pas prévu leur cas. Si chacun a sa propre carte de visite, ils peuvent les joindre ensemble dans une même enveloppe. Rien ne les empêche non plus de se faire faire une carte de visite à leurs deux noms ou d'ajouter le nom de l'un sur la carte de l'autre.

• Si une femme mariée utilise une carte « M. et Mme » pour écrire en son nom seul, elle barrera en diagonale la mention « M. et ». De même, une jeune fille peut utiliser la carte de ses parents en barrant toutes les mentions précédant le nom de famille et en les remplaçant par son prénom.

Décorations, titres et grades Sur une carte de visite privée, on ne fait généralement pas figurer ses décorations (même sous forme de sym-

boles). Les seuls titres admis sont ceux de l'Académie française et de Membre de l'Institut. Seuls quelques grades et titres s'indiquent avec le nom : le grade des officiers supérieurs, les titres civils d'un rang élevé (le titre de docteur ne se mentionne en France que pour les docteurs en médecine) ou les titres nobiliaires.

– Colonel et Madame Alain Marchand ;
– Docteur et Madame Jean Dubois ;
– Professeur et Madame Alain Durand ;
– Cte et Ctesse Pierre des Roches ;
– Capitaine de vaisseau Claude Dupont.

La présentation des cartes professionnelles

Sur les cartes de visite professionnelles, on indique :
– son prénom et son nom ;
– son principal titre universitaire ; éventuellement, et/ou la fonction qu'on occupe ;
– le nom (éventuellement le logo), l'adresse complète, le numéro de téléphone, celui du fax et l'e-mail de l'entreprise.

Sur une carte professionnelle, les femmes ne sont pas obligées d'ajouter la mention Madame, mais cela évite l'ambiguïté quand elles ont un prénom mixte comme : Dominique.

Béatrice Durand
Sous-directeur

Banque de l'Ouest   Tél. : 02 40 52 98 28
3, rue de Paris   Fax : 02 40 52 96 26
44005 Nantes   E-mail : beadurand@larousse.fr

Écrire une carte de visite

Le texte d'une carte de visite se rédige toujours à la troisième personne et ne se signe pas.

Madame Pierre Dubois

adresse ses très vives félicitations à Madame Jean Paquet pour le mariage de sa fille Anne. Elle la remercie vivement de son aimable invitation à laquelle elle sera très heureuse de se rendre et la prie de croire à son fidèle souvenir.

Mais rien ne vous empêche d'utiliser la carte de visite comme un carton de correspondance. Barrez en diagonale votre nom et écrivez à la première personne du singulier.

~~Isabelle Dubois~~

Merci de ton invitation je viendrai avec un grand plaisir

Confirmer un fax

Si vous envoyez un courrier important par télécopieur, sachez qu'il vaut mieux le confirmer par lettre.

■ LA TÉLÉCOPIE OU LE FAX

La première qualité d'une télécopie est sa lisibilité. Quand il s'agit d'un échange d'informations de caractère administratif ou professionnel, il est préférable d'envoyer un texte imprimé plutôt qu'écrit à la main. La formule d'appel (« Cher Monsieur ») est facultative, tout comme la formule finale de politesse, qui peut être remplacée par l'expression « bien cordialement ». Cependant, le mieux est de se conformer aux usages de son correspondant.

Les principes généraux

Quand vous adressez une lettre par télécopieur (le terme anglo-saxon fax est couramment employé), n'oubliez pas de mentionner le nom complet du destinataire et le nombre total de pages expédiées. Indiquez également clairement :
– votre nom ;

– votre numéro de fax pour une éventuelle réponse ;
– votre numéro de téléphone au cas où le fax arriverait incomplet, illisible ou à un mauvais destinataire par suite d'une erreur.

BIEN ÉCRIRE

MODÈLE **FAX PAR UN PARTICULIER**

Destinataire : Anne Blanchot
Fax : (32-41) 43 54 50
Expéditeur : Julie Durand
Fax : (33-1) 46 24 58 50
Tél. : (33-1) 46 24 30 12

Date : 21 septembre 2004
Pages : 3 y compris celle-ci

Chère Anne,

Voici ci-joint, comme convenu, mon CV. Merci de bien vouloir le transmettre à ton directeur.

En quelques mots, je te rappelle mes objectifs. Après avoir travaillé pendant trois ans au service marketing de Transfer, en tant que chef de produit Johnie Fer, j'aimerais mettre mon expérience au service d'autres grandes sociétés de secteurs différents de celui de la mode.

Contribuer au développement européen et international de produits nouveaux, comme ceux de Régina, serait pour moi passionnant. Sans parler du plaisir que j'aurais à venir habiter Liège, ce qui nous permettrait de nous voir plus souvent…

Merci encore pour ton aide.

Je t'embrasse.

Julie

■ LE COURRIEL OU E-MAIL

Le courrier électronique est appelé e-mail dans le monde entier. Courriel, employé par les Québécois, a été adopté par la Délégation générale à la langue française en juin 2003. Malgré cet effort, le terme le plus utilisé en France reste l'original anglais : e-mail.

Autour du message

L'e-mail comporte plusieurs parties distinctes. Chacune d'elles doit être rédigée avec attention.

Adresse Une adresse e-mail se présente toujours sous la forme : durand@larousse.fr.

● durand : est le nom ou le pseudonyme du destinataire.

● @ : l'arobase est le caractère qui sépare les deux parties de l'adresse électronique.

● larousse.fr : est le nom de domaine. Il comprend le nom de l'entreprise (larousse) ou de l'institution, suivi d'une abréviation (.fr) caractérisant un pays ou la nature du serveur, par exemple : .com pour commerciale.

Attention, une seule faute dans l'orthographe de l'adresse et le courrier n'arrivera pas au destinataire.

Sujet Il faut toujours inscrire un sujet, ou objet. C'est le premier élé-ment lu par votre correspondant. Il est donc important d'apporter un soin particulier à sa rédaction. Le sujet doit être clair et éviter les généralités comme : « Information ». Il doit être court, car la plupart des logiciels coupent au-delà de trente caractères. Donc soyez précis et concis.

Signature Dans le cadre professionnel, en bas de votre message, vous pouvez à la suite de votre nom donner les informations suivantes :
– fonction ou titre ;
– nom de la société ;
– adresse du site internet ;
– adresse postale ;
– numéro de téléphone ;
– numéro de fax.

Pour les e-mails privés, écrivez votre prénom suivi de votre nom, ou seulement votre prénom, voire votre pseudonyme en fonction des rapports avec votre correspondant.

Dans les deux cas, il est possible de définir sa signature dans votre logiciel de courrier, ainsi elle s'ajoutera automatiquement à chaque message.

Rédiger un e-mail

L'e-mail est le symbole de l'instantané : à peine écrit, déjà envoyé. Cependant, il faut prendre le temps de bien le rédiger et d'éviter les fautes d'orthographe et de grammaire.

Commencer Un e-mail commence, comme toute autre correspondance, par une formule du type : « Monsieur » ou « Cher Monsieur ». Mais il peut également, en fonction de vos rapports avec votre interlocuteur, démarrer par un simple : « Bonjour ».

Écrire Le ton d'un e-mail est moins formel que celui d'une lettre. Le style doit être concis, avec des phrases simples : sujet, verbe, complément.

Si vous voulez maîtriser la présentation, ne dépassez pas les soixante-dix caractères par ligne. Votre message risque sinon d'avoir, selon le logiciel utilisé par le destinataire, des retours à la ligne disgracieux.

Enfin, n'écrivez pas de mot tout en majuscules, cela indique que l'on crie son propos.

Terminer N'oubliez pas de finir par une formule de politesse. Les usages sont moins stricts que pour une lettre traditionnelle. Un simple « Bien cordialement » ou « Amicalement » remplacera le « Veuillez agréer… » que l'on réservera seulement aux courriels les plus officiels.

Vérifier Un e-mail doit toujours être relu avant l'envoi. Vous pouvez employer les correcteurs d'orthographe des logiciels. Cependant, ils sont surtout performants pour les mots mal orthographiés, mais leurs capacités d'analyse de la grammaire restent faibles.

Où est passée l'@robase ?

Sur un PC : appuyez en même temps sur la touche « Alt Gr » et sur « à ».
Sur un Mac : la touche « @ » est avant le « 1 » en haut à gauche du clavier.

Vie familiale

La famille et ses proches

VIE FAMILIALE

VIE FAMILIALE

Téléphoner ou écrire ?

Nombre d'annonces d'événements, heureux ou non, tels que maternité, fiançailles, séparation, divorce, etc., se font de vive voix ou par téléphone. Mais, dans certaines situations, une lettre ou un simple mot seront plus appropriés.

Dans les moments difficiles

Si vous apprenez qu'un accident est survenu à un[e] ami[e] ou qu'il[elle] est atteint[e] d'une maladie grave, écrire un petit mot est plus chaleureux et dérange beaucoup moins qu'un appel téléphonique.

De même, en cas de décès, il vaut infiniment mieux envoyer un télégramme ou une lettre que téléphoner aux personnes affligées. Et, même si votre ami[e] qui a perdu son enfant ou sa mère vous l'annonce de vive voix, lui écrire ensuite une lettre vous permettra de trouver des mots plus justes, qu'il[elle] pourra relire dans ses moments de profond chagrin.

Les événements heureux

Il est assez rare aujourd'hui qu'une jeune fille, ou une jeune femme, écrive à ses parents ou à ses grands-parents pour leur annoncer qu'elle se fiance ou qu'elle attend un bébé...

Mais, pour annoncer à un cercle plus large une naissance ou surtout un mariage, le faire-part est toujours en usage. Sa rédaction est maintenant de plus en plus libre. Certains se contentent de faire paraître un avis dans le carnet de leur quotidien habituel.

Pour féliciter quelqu'un d'un événement heureux ou pour remercier après une invitation, on utilise souvent le téléphone, mais un petit mot fera, là encore, un plus grand plaisir. Et, si vous y mettez une note un peu personnelle, votre ami[e] pourra même le conserver comme souvenir.

FIANÇAILLES

MODÈLE **FAIRE-PART DE FIANÇAILLES**

Corinne et Romain
ont la joie de vous annoncer leurs fiançailles

Corinne CHEREAU
12, rue des Prés
89000 Auxerre

Romain MORGAIN
7, boulevard Diderot
89000 Auxerre

MODÈLE **INVITATION AUX FIANÇAILLES PAR LES FAMILLES**

Monsieur et Madame Henri Sousse
Monsieur et Madame André Weber
recevront à l'occasion des fiançailles
de leurs enfants

Carine et Édouard

le 5 mai à 18 heures
salle Prévert
4, rue des Lys
91320 Wissous

85, avenue de Choisy 75013 Paris

3, rue du Paradis 91320 Wissous   *R.S.V.P.*

Corinne et Romain

vous attendent pour faire la fête

en l'honneur de leurs fiançailles

le samedi 20 novembre 2004,

de 20 heures à l'aube,

au

15, boulevard de la Bastille 75012 Paris

R.S.V.P. 01 43 25 78 96
(laissez le message sur le répondeur)
4, rue de la Roquette 75011 Paris

Christine PICARD

adresse toutes ses félicitations et ses vœux de bonheur à Nicolas
et Anne-Sophie. Elle remercie vivement Madame Bonnot de son
invitation à laquelle elle sera très heureuse de se rendre et d'avoir
ainsi l'occasion de faire la connaissance d'Anne-Sophie.

■ MARIAGE

MODÈLE **FAIRE-PART DE MARIAGE PAR LES PARENTS**

Madame Jean-Pierre Lemonier
Monsieur et Madame Henri Lemonier
Monsieur et Madame François Beauchêne
sont heureux de vous faire part du mariage
de leur petit-fils et fils,
Franck Beauchêne, interne des hôpitaux,
avec **Mademoiselle Anne Laporte**
et vous prient d'assister
ou de vous unir d'intention à la messe de mariage
qui sera célébrée par le père Oliver
le samedi 18 octobre 2003, à 15 heures, en l'église
Saint-Michel, à Saint-Michel-sur-Orge

84, avenue Charles-De-Gaulle 69005 Lyon
9, place des Ormes 76000 Rouen

MODÈLE **FAIRE-PART DE MARIAGE PAR LES PARENTS**

Monsieur et Madame	Madame Annie Moreau
Jean Bernout	Monsieur et Madame
Madame Odile Bernout	André Monod
Monsieur Pierre Weber	Madame Patrice Duvivier

ont la joie de vous annoncer le mariage
de leurs petits-enfants et enfants
Marie et Antoine
La bénédiction nuptiale leur sera donnée
le samedi 24 juillet 2004, à 16 h 30,
au temple de Mialet.
Un vin d'honneur sera offert après la cérémonie
à la maison des fêtes de Mialet, 5, place des Cévennes.

52, avenue Spinoza,   *12, rue Traversière,*
94470 Boissy-Saint-Léger   *30140 Mialet*

Madame Judith Benkeser

Monsieur Samuel Tardi

Madame Laure Benkeser

Madame Ina Goldstein

Madame Anne Jacob

Madame Julie Barnoud

ont le plaisir de se joindre à

Lise et Fabrice

pour vous faire part de leur mariage

et vous convient à la bénédiction nuptiale,

qui aura lieu le dimanche 5 mai 2002, à 15 heures,

en la synagogue des Lilas

14, rue de la Lande 93260 Les Lilas

5, rue des Berges
93260 Les Lilas

18, square des Épinettes
83300 Draguignan

Marie et Pierre

sont heureux de vous faire part

de leur mariage qui sera célébré

le samedi 16 octobre

Madame Jean Simon

Madame François Terrin

Madame Anne Gruz

Monsieur Paul Tor

Marie et Pierre

vous invitent à partager leur joie

au cours de la messe de mariage qui sera célébrée

le samedi 16 octobre 2004, à 16 h 30,

en l'église de Rhode-Saint-Genèse (1640 Belgique)

7, rue des Plantes
75014 Paris
Avenue des Chênes 48
1640 Rhode-Saint-Genèse (Belgique)

adresse des futurs mariés
3, rue du Ruisseau
91330 Yerres

MODÈLE FAIRE-PART DE MARIAGE PAR LES FUTURS MARIÉS

Sandra Pascaud et Alain Fernet
vous invitent à assister à leur mariage,
célébré le vendredi 14 novembre 2003,
à 15 h 30,
à la mairie de Saumur

3, rue de la Cavalerie   *5, rue des Lices*
49400 Saumur   *49000 Angers*

MODÈLE FAIRE-PART DE MARIAGE PAR LES MARIÉS

Christophe et Nathalie
sont heureux de vous faire part de leur mariage
qui a eu lieu dans la plus stricte intimité
le 12 janvier 2003

Christophe Dupar   *Nathalie Duchemin-Dupar*

15, rue Copernic
37240 Bournan

MODÈLE FAIRE-PART DE MARIAGE PAR LES ENFANTS DES MARIÉS

Pierre, Marine et Natacha
sont heureux de vous faire part du
mariage de leurs parents

Christine et Philippe Dubois-Rivière
qui a eu lieu dans l'intimité le 17 avril 2004.
Ils vous invitent à venir vous réjouir avec eux
autour d'un grand pique-nique
le samedi 15 mai à 12 h 30
à la Petite-Ferme

R.S.V.P.

La Petite-Ferme,
53150 Saint Cénéré   *Tél. : 05 56 87 95 24*

Madame Pierre DURAND
Madame Françoise DUPONT
recevront à l'occasion du mariage de
Corinne et Jean
le samedi 9 mars 2002 à partir de 18 heures
salle Mermoz
5, place Bellecour, Lyon 2^e

Réponse souhaitée avant le 20 février

Madame Jean-Pierre Giraud
Madame Jacques Normand
recevront à La Grange
à l'issue
de la cérémonie religieuse

Dîner placé à 20 heures   *Réponse souhaitée avant le 1er juin*

Marie DUNON et Yves RENOU

vous attendent après leur mariage,
le 4 décembre 2004,
de 17 heures à minuit,
au Sabrina,
6, rue Corneille
86600 Lusignan

Merci de répondre avant le 20 novembre
5, rue des Planches 86600 Lusignan

MODÈLE INVITATION À L'OCCASION D'UN REMARIAGE

Michel REGNIER et Sophie DEBON

recevront à l'occasion de leur mariage
le samedi 19 juillet 2003 à partir de 17 heures,
au Nemours, 12, rue de la Marne 51250 Fagnières

4, place de la Mairie
51022 Châlons-en-Champagne
Tél. : 03 46 27 12 75

Réponse souhaitée
avant le 12 juillet

MODÈLE FÉLICITATIONS POUR UN MARIAGE
AUQUEL ON N'EST PAS INVITÉ

Monsieur et Madame Daniel MARCHAND
adressent à Madame Rocher leurs vives félicitations
pour le mariage de Nicolas et souhaitent aux jeunes mariés
beaucoup de bonheur.

Madame Anne ROSIER
adresse à Paul et Nathalie toutes ses félicitations
et ses vœux de bonheur.

Paul LETAILLEUR
Avec toutes mes félicitations pour le mariage de ta fille
et tous mes vœux pour les futurs mariés.

MODÈLE FÉLICITATIONS ET RÉPONSES À UNE INVITATION
POUR UN MARIAGE

Monsieur et Madame Jérôme Drapier

adressent leurs très vives félicitations
à Monsieur et Madame Rouget. Ils les remercient
de leur invitation à laquelle ils seront ravis
de se rendre et d'avoir ainsi l'occasion de présenter
tous leurs vœux de bonheur aux jeunes mariés.

Sandrine et Jean-Michel Pottier

remercient vivement Madame Marchand de son aimable invitation à laquelle ils seront désolés de ne pouvoir se rendre, étant déjà retenus ce jour-là. Ils la prient de bien vouloir les excuser et de transmettre leurs meilleurs vœux aux jeunes mariés.

Valérie Boulanger

Félicitations, ma chère Claire ! Je me fais une joie de venir t'embrasser le jour du mariage de ta fille et serai ravie d'assister au dîner auquel tu m'as si gentiment invitée.

Tous mes vœux à Charlotte et Patrick.

MODÈLE **FÉLICITATIONS POUR UN MARIAGE ET ACCEPTATION DE L'INVITATION**

Chère Hélène,

Cher Thierry,

Merci mille fois pour votre invitation au mariage de Denis, auquel je viendrai avec grand plaisir. Embrassez-le pour moi en lui souhaitant beaucoup de bonheur.

Je me réjouis de cette occasion de vous revoir et vous embrasse bien affectueusement.

MODÈLE **FÉLICITATIONS POUR UN MARIAGE ET EXCUSES DE NE POUVOIR VENIR**

Chère Corinne,

Tu sais combien j'aurais aimé être avec vous en ce jour de fête, mais des raisons professionnelles m'en empêchent. J'ai envisagé toutes les solutions, mais ce n'est vraiment pas possible.

Je penserai particulièrement à toi le 14 décembre et serai de tout cœur avec vous tous. Félicite ton futur mari d'avoir fait un si bon choix !

Embrasse-le pour moi en attendant que j'aie le plaisir de faire sa connaissance. Avec toute mon affection.

MODÈLE TÉLÉGRAMMES À ENVOYER LE JOUR DU MARIAGE

Tous nos vœux de bonheur à vous deux. Marianne et Jean.

ou bien

Suis de tout cœur avec vous. Meilleurs vœux de bonheur à Fabrice et Alice. Mamie.

MODÈLE CARTES ACCOMPAGNANT DES FLEURS
OU UN CADEAU POUR UN MARIAGE

Monsieur et Madame Jean-Pierre TARDIEU
Avec leurs meilleurs vœux de bonheur.

Julie ROQUE
Avec toute mon affection et mes vœux de bonheur.

MODÈLE CARTE DE REMERCIEMENTS POUR UN CADEAU DE MARIAGE

M. et Mme Didier ROUX
remercient vivement Madame Beaujon
pour ces jolis verres à whisky et le seau à glace
qui leur ont fait très plaisir et la prient d'agréer
l'expression de leurs respectueux sentiments.

MODÈLE LETTRE DE REMERCIEMENTS POUR UN CADEAU DE MARIAGE

Cher Monsieur,

La corbeille de fleurs que vous nous avez envoyée le jour de notre mariage était vraiment magnifique. Elle a fait l'admiration de tous et, aujourd'hui, nous avons encore le plaisir d'en profiter dans notre petit appartement.

Nous vous en remercions de tout cœur et vous prions d'agréer l'expression de notre respectueux souvenir.

Cher Grand-Père,

Merci pour ton cadeau si généreux... Cette somme nous a permis de faire un voyage fabuleux. Nous ne connaissions l'Espagne ni l'un ni l'autre et avons découvert l'Andalousie en amoureux.

Dominique a pris quantité de photos que nous sommes impatients de te montrer dès que nous pourrons venir te voir, sans doute à la fin du mois.

Dominique se joint à moi pour t'embrasser avec toute notre affection.

Chère Mamie,

François et moi tenons à te dire combien nous avons été heureux de ta présence à notre mariage. Le voyage a dû être très fatigant pour toi, mais c'était formidable de t'avoir avec nous.

Je t'envoie quelques photos en souvenir, dont une de nous trois devant la mairie.

Merci encore d'être venue.

Je t'embrasse très tendrement.

■ SÉPARATION, DIVORCE

MODÈLE **LETTRE D'INTENTION DE DIVORCER**

Jean,

Notre vie commune n'est plus possible. Nous ne faisons que nous détruire l'un l'autre.

Je ne supporte plus de vivre dans l'angoisse de tes disparitions imprévisibles, de tes sautes d'humeur, de tes crises de violence qui nous terrifient, les enfants et moi. C'est pourquoi je souhaite divorcer.

Je pars avec les enfants en vacances, comme prévu le 10 juillet, et je te demande instamment de ne pas chercher à nous rejoindre. Tu pourras leur téléphoner quand tu le voudras, et ils pourront, en août, aller passer le reste des vacances avec toi si tu le souhaites. Mais, je t'en supplie, laisse-moi tranquille et ne mêle pas les enfants à nos problèmes. Il faut absolument qu'ils n'entendent plus nos perpétuelles disputes et que je retrouve mon équilibre.

Après quoi nous aurons, peut-être, pris suffisamment de distance pour être capables de divorcer à l'amiable. Ce serait bien préférable.

J'espère que tu comprendras ma décision.

Les enfants t'embrassent.

MODÈLE **LETTRE DE SÉPARATION**

Marie,

Je pars... ma décision est définitive, j'ai bien réfléchi. Ne cherche surtout pas à me rejoindre.

Pardonne-moi de te faire mal.

Mais je souhaite arrêter le jeu hypocrite dans lequel nous nous enlisons. Tu as deviné que j'ai rencontré quelqu'un d'autre. Je l'aime, et le respect que j'ai pour toi me pousse à être honnête, même si je sais bien que cela te fait souffrir.

Peut-être nous reverrons-nous un jour. D'ici là oublie-moi, mais sache que je t'ai vraiment aimée.

La prudence des propos en cas de divorce

Écrire pour manifester son intention de se séparer montre bien qu'il s'agit d'une décision réfléchie et définitive. Mais sachez que votre lettre risque d'être produite en justice en cas de procédure de divorce : restez donc mesuré[e] en évitant toute menace, toute injure, etc.

Faites attention à ce que vous écrivez : votre lettre peut être lue par votre enfant.

En cas de refus du droit de visite, vous pouvez écrire à votre propre avocat ou à celui du parent de votre enfant.

Enfin, il existe divers moyens pour obliger le mauvais payeur à vous verser la pension qu'il vous doit. Adressez-vous pour tout renseignement et conseil à un avocat...

MODÈLE | **RÉCLAMATION POUR NON-RESPECT DU DROIT DE VISITE**

Fabienne,

Trop souvent nos discussions à propos de Cécile se terminent en dispute. Arrêtons de nous faire mal et de perturber notre fille.

Puisque nous avons un jugement du tribunal définissant la règle à respecter lorsque nous sommes en désaccord, respectons-le, sans tenter à chaque fois de tout remettre en question.

Il est bien précisé que je peux prendre Cécile avec moi un week-end sur deux, de la sortie de l'école, le samedi, au dimanche soir 19 heures. Mais tous les prétextes te sont bons pour refuser de me la confier.

Il est pourtant indispensable, pour elle comme pour moi, que nous nous voyions régulièrement. *[Ne m'oblige pas à faire appel à la justice pour faire respecter mon droit de visite.]*

Je compte sur toi.

MODÈLE DEMANDE D'INTERVENTION D'UN AVOCAT
POUR FAIRE RESPECTER LE DROIT DE VISITE

Maître,

Par jugement du tribunal de Lille en date du 18 octobre 2000, il est prévu que, en cas de désaccord avec mon ex-mari, j'aie le droit de visite et d'hébergement de ma fille Anne un week-end sur deux et durant la première moitié des vacances scolaires.

Or mon ex-mari, Dominique Reteau (4, rue des Belles-Feuilles, 69320 Feyzin), prétend que ma fille ne souhaite pas me voir, sous prétexte que je vis avec un autre homme. Il me refuse le droit de la rencontrer et d'en discuter avec elle. Je sais que ma fille, âgée de six ans, exprime l'avis de son père afin d'éviter tout conflit avec lui, mais qu'elle est très malheureuse de ne plus venir chez moi le week-end.

Pouvez-vous intervenir pour rappeler à mon ex-mari qu'il ne peut pas s'opposer à mon droit de visite et d'hébergement ?

Vous trouverez ci-jointe la copie du jugement du tribunal.

Veuillez agréer, Maître, l'expression de ma considération distinguée.

PJ : copie du jugement

MODÈLE RÉCLAMATION DU PAIEMENT DE LA PENSION ALIMENTAIRE

Sébastien,

Nous sommes le 15 du mois et tu ne m'as toujours pas versé la pension alimentaire de juillet pour Julie et Marc.

Tu as peut-être des problèmes actuellement, mais tu sais que tu me mets dans une situation très difficile. Je n'ai actuellement pour vivre que mes allocations chômage et je n'ai même pas pu régler mon loyer. Je ne voudrais surtout pas que les enfants en souffrent.

Peux-tu, s'il te plaît, avoir la gentillesse de me faire un chèque ou un virement au plus vite ?

Merci d'avance.

Sébastien,

Voilà plus de deux mois que tu n'as pas payé la pension alimentaire des enfants, malgré ma lettre de rappel du 15 juillet et mes relances téléphoniques.

Ton dernier versement date du 3 juin. Or je te rappelle qu'il est prévu que tu fasses ce versement avant le 5 de chaque mois. Peux-tu me régler au plus vite l'arriéré et le mois en cours, soit 762 euros, sans que je sois obligée de faire intervenir la justice ?

Je compte sur toi. Merci.

Maître,

Suite à notre entretien téléphonique de ce jour, je vous confirme que, par jugement en date du 2 mai 2003, le tribunal de Montpellier a mis à la charge de mon ex-conjoint*[e]*, Claude Pic, une pension de 305 euros par mois pour notre fils qui habite chez moi.

Or il *[elle]* ne m'a rien versé depuis le 5 avril et me doit donc à ce jour trois mois de pension, soit 915 euros. Pouvez-vous obtenir le paiement de la pension et des arriérés auprès de son employeur ?

Voici les informations dont je dispose :

Monsieur *[Madame]* Claude Pic demeurant 5, rue des Sablons, 34000 Montpellier

Employeur : SA RENOV 12, rue des Alpes, 34000 Montpellier

Salaire mensuel brut : 2 745 euros *[Compte bancaire n° 587 968 à la Caisse populaire, 12, rue des Vents, 34000 Montpellier...]*.

Vous trouverez ci-jointe la photocopie de la décision de justice.

Vous remerciant de votre intervention, je vous prie d'agréer, Maître, l'assurance de ma parfaite considération.

PJ : photocopie de la décision de justice

MODÈLE DEMANDE DE RÉVISION DE LA PENSION ALIMENTAIRE

Madame le Juge,

Dans son jugement en date du 19 mars 2002, le tribunal de Tours a mis à ma charge une pension de 300 euros à verser pour l'entretien de notre fils, Éric, à sa mère Sandrine Barois, demeurant 15, rue des Barrières, 37270 Montlouis.

À l'époque de cette décision, mes revenus étaient de 1 981 euros net par mois.

Depuis, j'ai perdu mon emploi le 14 mai 2004, et mes revenus sont tombés de 1 981 euros à 762 euros par mois.

[Depuis, mes charges ont considérablement augmenté car je me suis remarié et j'ai deux autres enfants...]

Vous trouverez ci-joints la copie du jugement du tribunal et les justificatifs de mes revenus actuels *[de l'augmentation de mes charges...]*.

Pouvez-vous donc nous convoquer mon ex-femme et moi-même pour juger de ma demande de révision de la pension ?

Veuillez agréer, Madame le Juge, l'expression de ma considération distinguée.

PJ : copie du jugement et justificatifs de revenus *[de l'augmentation des charges]*

■ NAISSANCE ET ADOPTION

ANNONCE D'UNE NAISSANCE PAR LETTRE

Chère tante Charlotte,

Romain est né hier matin, à l'aube... Il est arrivé à la date prévue et pesait 3,400 kg. Il a plein de cheveux, des yeux plutôt grands, mais il est un peu tôt pour dire à qui il ressemble. *[Il a encore le visage un peu fripé et rouge, mais pour moi c'est le plus beau bébé du monde...]*. Je suis encore à la maternité pour quelques jours et en profite pour me reposer avant le retour à la maison.

Quant à Amaury, il est déjà fou de son fils.

J'espère que nous pourrons bientôt te présenter Romain.

Je t'embrasse bien affectueusement.

FÉLICITATIONS POUR UNE ADOPTION

Chère Audrey, Cher Luc,

Quelle joie d'apprendre qu'une petite fille est entrée dans votre vie, comme vous le désiriez tant ! Nous nous réjouissons de tout cœur avec vous et sommes impatients de venir vous voir tous les trois.

Bien amicalement.

Cher Alexis et Chère Ariane,

Quelle famille ! Bravo !

Vous voilà cinq maintenant ! Qui aurait dit il y a sept ans que vous étiez partis pour fonder une famille nombreuse ? Les deux aînées doivent être ravies d'avoir un petit frère à dorloter.

Nous nous réjouissons beaucoup de venir fêter avec vous l'arrivée d'Emmanuel.

À très bientôt. Nous vous embrassons tous les cinq.

MODÈLE **CARTES DE FÉLICITATIONS POUR UNE NAISSANCE**

Monsieur et Madame Antoine FERNET
félicitent les heureux parents.
Ils adressent tous leurs vœux de bonheur
à la petite Julie et de rapide rétablissement à sa maman.

Gérard MONESTIER
adresse à Madame Ricot ses félicitations
pour la naissance de sa fille Marine
et lui présente tous ses vœux de bonheur.

Ariane GACHET
Félicitations !
Je me réjouis avec vous de l'arrivée d'Arthur
et vous souhaite beaucoup de bonheur.
Ariane

MODÈLE **LETTRES DE FÉLICITATIONS POUR UNE NAISSANCE**

Ma Chère Florence,

Tu dois être si heureuse de pouvoir enfin serrer ton bébé entre tes bras !

Je savais que tu devais bientôt accoucher et j'attendais la nouvelle avec impatience. Merci de m'avoir prévenue si vite.

J'espère pouvoir venir te voir la semaine prochaine afin de faire la connaissance de Christine : je m'en réjouis déjà.

Je t'embrasse tendrement ainsi que Jacques.

Chère Marie,

Voilà le trio formé avec l'arrivée de Xavier ! Anne et Sophie doivent être ravies d'avoir un petit frère.

J'imagine votre joie à Matthieu et à toi et je vous félicite tous les deux.

Je t'appellerai pour venir te voir dès que possible. D'ici là, je t'embrasse avec toute mon affection. Embrasse pour moi ton bébé.

■ ANNIVERSAIRE

CARTE D'ANNIVERSAIRE ACCOMPAGNANT UN CHÈQUE

Mon Cher Julien,

Au lieu de te choisir un cadeau qui ne t'aurait peut-être pas fait plaisir, je préfère t'envoyer ce chèque. Je suis sûr que tu auras une bonne idée pour l'utiliser !

C'est un petit témoignage de ma grande affection. Je te souhaite un très joyeux anniversaire !

Tendrement.

REMERCIEMENTS POUR UN CADEAU D'ANNIVERSAIRE

Ma Chère Martine,

Quelle merveilleuse surprise et quelle délicieuse attention !

J'ai été très touchée que tu penses à mon anniversaire, d'autant plus qu'à mon âge on néglige souvent de le fêter.

Je compte venir à Bruxelles en décembre et j'espère que nous pourrons alors passer une soirée ensemble.

Je t'embrasse très fort.

REMERCIEMENTS POUR UN CADEAU SOUS FORME DE CHÈQUE

Cher Parrain,

Merci mille fois pour ta générosité. Je vais enfin pouvoir m'offrir la minichaîne pour laquelle j'économisais depuis plusieurs mois.

J'espère que tu viendras bientôt à la maison pour que je te la montre et te fasse écouter la musique que j'aime.

Je t'embrasse très fort et te remercie encore.

■ CÉRÉMONIES RELIGIEUSES DE L'ENFANCE ET L'ADOLESCENCE

VIE FAMILIALE

MODÈLE DEMANDE DE PARRAINAGE

Cher François,

Nous avons vivement regretté, Martine et moi, de ne pas te voir dimanche dernier. Nous avions en effet une demande à te faire..., mais peut-être est-ce mieux de la faire par écrit pour te laisser le temps de réfléchir avant de nous répondre.

Accepterais-tu d'être le parrain de notre futur enfant ?

Selon nous, le rôle d'un parrain est d'accompagner l'enfant sur le plan religieux, mais également de créer avec lui des liens privilégiés – différents de ceux qu'il peut avoir avec ses parents – pour le suivre dans sa vie personnelle. Nous avons pensé à toi en raison de ton optimisme, de ton ouverture d'esprit et de ta générosité.

Mais être parrain est une responsabilité, demande du temps, et nous comprendrions très bien que tes nombreuses charges t'empêchent de l'assumer.

Nous t'embrassons, ainsi que Diane.

MODÈLE ACCEPTATION D'ASSUMER LE RÔLE DE PARRAIN

Cher Paul, Chère Martine,

J'ai été très touché que vous pensiez à moi pour être le parrain de Stéphane. Cela me fait d'autant plus plaisir que je ne l'ai encore jamais été. Je m'imagine déjà en promenade avec mon filleul.

Je pense, tout comme vous, que le rôle du parrain est très important. En effet, le parrain établit avec son filleul une relation d'adulte à enfant, mais d'une nature différente de celle que l'enfant peut avoir avec ses parents, surtout quand il est jeune. Mon rôle ne sera pas de le punir ou de lui apprendre à manger proprement – j'ai déjà suffisamment de mal avec mes propres enfants ! –, mais je voudrais qu'il trouve en moi un ami dans toutes les circonstances de sa vie.

Je serai donc ravi de devenir le parrain de Stéphane, en espérant être à la hauteur de cette responsabilité... Ce sera une occasion pour que nos deux familles se voient plus souvent.

Je vous embrasse affectueusement.

MODÈLE **REFUS D'ACCEPTER LE RÔLE DE PARRAIN**

Cher Paul, Chère Martine,

Votre lettre m'a beaucoup touché, et je vous remercie pour cette marque de confiance. Mais elle m'a aussi plongé dans l'embarras, car il est vrai que je ne suis pas très disponible.

Après avoir bien réfléchi, il me semble que je ne peux pas accepter d'assumer le rôle de parrain. Je suis beaucoup trop occupé *[beaucoup trop souvent à l'étranger]* pour accompagner votre enfant. J'ai déjà le sentiment de ne pas accorder suffisamment de temps aux miens !

J'espère que vous comprendrez les raisons de mon refus : je ne voudrais surtout pas que Stéphane ait un parrain fantôme. De toute façon, cela ne m'empêchera pas de l'aimer tout autant et de le voir chaque fois que possible !

Je vous embrasse bien affectueusement.

MODÈLE **REMERCIEMENTS À UNE AMIE AYANT ACCEPTÉ D'ÊTRE MARRAINE**

Chère Florence,

Juste un petit mot pour te dire combien nous avons été touchés que tu acceptes avec autant d'enthousiasme d'être la marraine de Pierre. Nous avons aussi beaucoup apprécié le sérieux avec lequel tu envisageais cette responsabilité. Nous nous réjouissons pour Pierre et nous te remercions de tout cœur.

Bien affectueusement.

MODÈLE INVITATIONS À UN BAPTÊME

M. et Mme Pierre MOULIN
recevront quelques amis à l'occasion
du baptême de leur fils

Antoine

le 12 avril à 16 h 30

15, allée Marie-Jeanne
92240 Malakoff   *R.S.V.P.*

Thierry GENET et Marie POTIER
seront heureux de vous recevoir à l'occasion
du baptême de leur fille

Hélène

le samedi 6 juin
de 17 à 19 heures

35, rue Barbier
72000 Le Mans   *R.S.V.P.*

MODÈLE INVITATION À UNE CIRCONCISION

M. et Mme David Stern
recevront la famille et les amis proches
à l'occasion de la circoncision de leur fils

Samuel

le dimanche 4 février à 17 heures

15, boulevard Arago
75013 Paris   *R.S.V.P.*

81

M. et Mme MÉNARD
ont le plaisir de vous annoncer
que leur fille

Isabelle

fera sa profession de foi
le dimanche 22 juin 2003.
Messe à 10 heures
à l'église Saint-Jacques de Montgeron.
Nous serons heureux de nous réunir autour d'elle
à l'issue de la cérémonie religieuse.

4, rue du Puits 91230 Montgeron   *R.S.V.P*

Madame Maurice GOLDBERG
Madame André ARIRI
ont la joie de vous faire part de la bar-mitsva
de leur petit-fils et fils

Jérémie-Maurice

et vous prient d'assister à la mise des tefillin
le jeudi 6 mai 2004 à 8 heures à la synagogue
14, rue de la Croix-de-l'Épinette 93260 Les Lilas

8, villa Moderne 93260 Les Lilas   *Tél. : 01 43 78 96 31*

MALADIE, ACCIDENT

MODÈLE | **LETTRE À UN AMI GRAVEMENT MALADE**

Cher Hervé,

L'absence de nouvelles de ta part, malgré les messages laissés sur ton répondeur, m'a, un temps, laissé penser que tu n'avais plus envie de me voir. Mais Laurent m'a appris que tu étais malade et que tu avais dû être hospitalisé à plusieurs reprises.

C'est pourquoi je voulais te donner un signe d'amitié tout particulièrement en ce moment. Même si nous nous sommes peu vus ces derniers temps, j'ai gardé un souvenir formidable de l'époque où nous travaillions ensemble avec une telle complicité !

Si tu as envie que je vienne te voir, que je t'apporte des livres ou des cassettes, ou que je t'emmène en voiture, si tu le peux, ou de passer une journée à la campagne, dis-le-moi. Cela me ferait très plaisir que nous nous revoyions. Mais je préfère que ce soit toi qui m'appelles afin de ne pas te déranger.

À très bientôt, j'espère.

Amitiés.

MODÈLE | **LETTRE À UNE AMIE ACCIDENTÉE**

Chère Laurence,

Nous avons appris avec émotion ton accident et la longue opération que tu as dû subir. Nous pensons beaucoup à toi et souhaitons que tu n'aies pas trop de mal à te rétablir.

Comme je l'ai déjà dit à Jacques au téléphone, si nous pouvons t'aider, d'une façon ou d'une autre (en prenant les enfants à la maison, en faisant tes courses, etc.), n'hésite pas à nous le dire.

Appelle-moi, si tu le veux, dès que tu te sentiras mieux pour que je vienne vite te voir. D'ici là, fais-nous savoir par Jacques quels sont les services que nous pouvons te rendre.

Nous t'embrassons avec toute notre affection.

LETTRE À DES RELATIONS DONT L'ENFANT A ÉTÉ ACCIDENTÉ

Chère Françoise, Cher Sébastien,

Nous avons été bouleversés quand Laure nous a appris l'accident de Grégoire. Nous pensons de tout cœur à vous et formons des vœux pour que votre petit garçon se rétablisse rapidement.

Croyez à notre sympathie et à notre amical souvenir.

LETTRE À UN MÉDECIN POUR LUI DEMANDER DE RENOUVELER UNE ORDONNANCE

Cher Docteur,

Pourriez-vous avoir l'amabilité de renouveler l'ordonnance pour le *[nom du médicament]*. Il ne m'en reste en effet qu'une demi-boîte et je ne pourrai venir vous revoir qu'en septembre, car je reste à la campagne durant tout le mois d'août.

Vous en remerciant à l'avance, je vous prie d'agréer, Cher Docteur, l'expression de ma considération.

PJ : enveloppe timbrée *[à votre adresse]*

DEMANDE À UN MÉDECIN DE COMMUNIQUER SON DOSSIER À UN AUTRE MÉDECIN

Docteur,

Pour des raisons personnelles, j'ai souhaité consulter le docteur Maréchal, 10, rue Blanche, 38000 Grenoble.

Pourriez-vous avoir l'amabilité de lui transmettre celles de mes radiographies que vous avez conservées et les photocopies des résultats de toutes mes analyses (car je les ai moi-même égarés, mais vous devez probablement en avoir un double).

Vous en remerciant d'avance, je vous prie d'agréer, Docteur, l'expression de mes salutations distinguées.

MODÈLE **DEMANDE À L'HÔPITAL DE COMMUNIQUER SON DOSSIER MÉDICAL À SON MÉDECIN TRAITANT**

Monsieur le Directeur,

Pouvez-vous, je vous prie, faire adresser une copie de mon dossier médical à mon médecin traitant, le docteur André Perrin, 5, rue des Carmes, 29750 Loctudy.

J'ai été hospitalisé[e] dans votre établissement du 5 au 15 novembre 1999 dans le service de neurochirurgie du professeur Recherche.

Vous remerciant de bien vouloir communiquer au plus vite ce dossier à mon médecin, je vous prie d'agréer, Monsieur le Directeur, l'assurance de ma considération distinguée.

AR

MODÈLE **REMERCIEMENTS À UN MÉDECIN**

Cher Docteur,

Merci d'avoir bien voulu me recevoir après vos heures de consultation. J'étais en effet très inquiète au sujet de cette « boule » que j'avais découverte.

J'ai pris dès aujourd'hui rendez-vous pour les examens que vous m'avez prescrits, mais je suis déjà rassurée puisque vous m'avez dit que, de toute façon, ce n'était pas grave. S'il fallait enlever cette boule, j'ai toute confiance en vous pour m'indiquer un bon chirurgien.

Merci encore de votre écoute et de votre gentillesse.

Croyez, Cher Docteur, à mon meilleur souvenir.

■ DÉCÈS

ANNONCE D'UN DÉCÈS À UN AMI DU DÉFUNT

Cher Patrick,

C'est une bien affreuse nouvelle que j'ai à vous annoncer : Fabien était parti en planche à voile afin de s'entraîner pour les régates et il a disparu en mer. Comment, lui qui était si prudent et si sportif, a-t-il pu se noyer ? Cela reste encore un mystère. Mais on a retrouvé sa planche fracassée sur les rochers et, par la suite, son corps échoué sur la plage.

Nous n'arrivons pas à croire qu'il n'ouvrira plus jamais la porte à sa façon un peu brutale en nous appelant de sa voix forte. Nous étions si heureux à chacun de ses retours !

Les obsèques auront lieu mardi 12 mai à 10 heures dans la petite chapelle de Notre-Dame-de-la-Palud, à Bénodet. *[L'enterrement aura lieu mardi 12 mai à 10 heures au cimetière du Tréport.]*

Si vous pouviez venir, nous en serions très touchés. Fabien nous parlait si souvent de vous, de votre amitié, de votre passion commune pour l'océan...

Croyez, Cher Patrick, à notre affectueux souvenir.

ANNONCE D'UN DÉCÈS À UN PARENT

Chère tante Odile,

Papa s'est éteint ce matin. Il semblait enfin apaisé. Ses terribles souffrances, ses angoisses, qui lui faisaient tour à tour appeler la mort et la craindre, sont désormais terminées. Il a, je crois, trouvé la paix dans ses dernières heures.

Mais qu'allons-nous faire sans lui ? Quel vide son absence va-t-elle laisser ? Nous avons, maman et moi, passé tant de jours et de nuits à ses côtés... Heureusement, la présence de mes frères est un grand soutien pour nous deux.

Une fois l'enterrement terminé (je te préviendrai dès que nous aurons fixé la date), Yves emmènera maman passer quelques jours chez lui. La tendresse de ses petits-enfants la réconfortera.

Quant à moi, avant de reprendre mon travail, j'aimerais bien venir passer une petite semaine chez toi. Qu'en penses-tu ?

Je t'embrasse avec toute mon affection.

VIE FAMILIALE

CONDOLÉANCES

MODÈLE TÉLÉGRAMMES À ENVOYER À L'ANNONCE D'UN DÉCÈS

Suis de tout cœur avec toi et partage ta douleur.
Très tendrement. Amandine.

Tout le personnel de la Société Fashion présente à Madame Altman ses respectueuses condoléances.

Prenons part à votre peine et vous embrassons avec toute notre affection. Françoise et Paul.

MODÈLE TÉLÉGRAMME POUR S'EXCUSER DE NE POUVOIR
ASSISTER AUX OBSÈQUES

Retenu*[e]* à Marseille, suis désolé*[e]* de ne pouvoir être avec vous mardi. Mais je m'associerai par la pensée *[et la prière]* à toute votre famille. Étienne Rouault.

MODÈLE CARTE POUR ACCOMPAGNER DES FLEURS

Nicolas et Élodie DROILLET
Avec leur profonde sympathie

Anne DESBOIS

Regrettant de ne pouvoir être avec vous aujourd'hui, je partage votre peine avec toute mon affection *[et m'associe à vos prières...]*.

Anne

Madame Fabrice PERCHOT

prie Madame BOUTET de croire à sa respectueuse sympathie à l'occasion du deuil qui la touche.

Monsieur François FREGNIE

apprenant la triste nouvelle, prend part à votre peine
et vous redit sa profonde amitié.

Didier MARTENOT

Mon travail me retenant à Marseille, je ne pourrai être des vôtres demain. Mais je serai présent de cœur avec vous *[et prierai pour ton frère, et pour chacun de vous]*.

Crois à ma très vive sympathie et à ma profonde affection.

Chère Anne,

C'est avec beaucoup de peine que nous venons d'apprendre la perte qui te touche et te sépare de celui dont tu as partagé la vie. Nous imaginons ta douleur et ta solitude, et nous venons te dire combien nous pensons à toi et à tes enfants. Tu sais quel souvenir nous gardons du temps où nous passions nos vacances ensemble, de l'amitié qui nous liait, de Frédéric, toujours si gai et si chaleureux.

Nous ne l'oublierons pas et nous avons beaucoup regretté de ne pas pouvoir être auprès de toi le jour de son enterrement.

Je t'embrasse bien tristement.

MODÈLE **LETTRE À UN AMI DONT LE FILS S'EST SUICIDÉ**

Cher Stéphane,

Philippe a choisi de quitter la vie... Lui qui, enfant, était si gai, si communicatif ! Quelle épreuve pour toi et pour Marie ! Je me souviens avec émotion, comme si c'était hier, de ce Noël à Quimper où il nous avait tous fait rire par ses chansons mimées...

[Tu sais combien nous avons essayé de combattre à tes côtés, à ses côtés, depuis des années... Mais il était malade et ne supportait pas de vivre ainsi diminué...]

Votre amour et l'affection de ses amis n'ont pas pu le retenir. Mais qui d'entre nous, à la suite d'une grande épreuve, ne connaît pas un jour le désir de cesser d'être ? Philippe a fait ce choix : c'est une décision personnelle dont tu ne dois pas te sentir responsable.

Cependant, je comprends ta tristesse face à notre incapacité à tous d'aider les autres à surmonter totalement leurs souffrances.

Sache que tu peux compter sur ma présence aussi souvent que tu le souhaiteras et sur mon affection toujours.

Je t'embrasse de tout cœur et partage ta douleur.

MODÈLE **LETTRE COLLECTIVE DE CONDOLÉANCES À UN PATRON**

Cher Monsieur,

Nous avons tous été bouleversés en apprenant le décès accidentel de votre fille. Nous tenons à vous dire combien nous prenons part à votre peine et vous prions de transmettre à votre femme nos plus sincères condoléances.

Veuillez croire, Cher Monsieur, à notre profonde sympathie.

MODÈLE **LETTRE COLLECTIVE DE CONDOLÉANCES AU CONJOINT D'UNE COLLÈGUE DE TRAVAIL**

Cher Monsieur,

Le deuil qui vous touche nous affecte tous. *[C'est avec beaucoup de tristesse que nous avons appris le décès de votre femme.]*

Tout le monde dans le service appréciait Françoise pour son efficacité et l'aimait pour son inlassable patience et sa grande gentillesse. Elle nous manquera beaucoup et nous ne l'oublierons pas.

Croyez, Cher Monsieur, que nous sommes de tout cœur avec vous et avec vos enfants.

MODÈLE **REMERCIEMENTS APRÈS CONDOLÉANCES**
PAR CARTE DE VISITE

Marie et François BELLEFOND

Merci, chère Isabelle, de nous avoir ainsi témoigné ta sympathie
et ton amitié. François et moi y avons été très sensibles
et ta présence nous a apporté beaucoup de réconfort.

MODÈLE **REMERCIEMENTS PAR LETTRE**

Cher Philippe,

Merci de l'affection que tu nous as si chaleureusement témoignée.

Matthieu nous manque tellement. Sa disparition a été si brutale que nous n'arrivons pas à y croire.

Merci de ton télégramme, de ta présence à nos côtés. Tu as si bien su évoquer au cours de la cérémonie le vide que laissait Matthieu dans nos cœurs. Et, dans les moments qui ont suivi, tu nous as permis à tous de nous remémorer les moments heureux de notre vie avec lui.

Le soutien que tu nous apportes à Pierre et à moi nous est d'un très grand réconfort. Et nous savons que, avec tous ses amis, tu nous aideras à conserver vivant le souvenir de notre cher Matthieu.

Bien amicalement.

Les organismes à prévenir
en cas de décès d'un proche parent

*A*vertissez par lettre, éventuellement recommandée, accompagnée d'un extrait de l'acte de décès :

* L'employeur si le défunt était encore en activité.

* Les organismes sociaux auxquels le défunt était affilié : sécurité sociale, mutuelle, caisse de chômage, caisse(s) de retraite, etc. Certains versent une participation aux frais d'obsèques, des allocations décès au conjoint survivant, une pension de réversion au conjoint ou d'autres prestations.

* Les compagnies d'assurances auprès desquelles le défunt avait souscrit un contrat : décès, assurance automobile, multirisque habitation, multirisque professionnelle, etc. (pour les modèles de lettres, voir aussi le chapitre Assurances p. 316).

* Les organismes financiers dans lesquels le défunt possédait un compte : banque, caisse d'épargne et/ou La Poste. La banque peut débloquer une certaine somme pour les frais d'obsèques.

* Les organismes de crédit auprès desquels il avait éventuellement contracté un emprunt.

* Le propriétaire si le défunt était locataire en titre de son logement.

* Le notaire si vous voulez qu'il se charge de régler la succession et qu'il prépare à votre place la déclaration de succession qui devra être déposée auprès des services fiscaux.

■ DÉMARCHES À ACCOMPLIR APRÈS UN DÉCÈS

MODÈLE | **DEMANDE DE FERMETURE DU COMPTE DU DÉFUNT**

Madame,

J'ai le regret de vous informer du décès de mon père,
Paul Derain, qui demeurait 4, rue Foch, 42000 Saint-Étienne.

Veuillez donc fermer son compte n° 8999 956 488 Y ouvert
dans votre agence.

Le notaire chargé de la succession, Maître Cardon, 12, rue des
Gloriettes (75019 Paris), prendra contact avec vous.

Veuillez agréer, Madame, l'expression de ma considération
distinguée.

PJ : extrait d'acte de décès

MODÈLE | **DEMANDE DE PRISE EN CHARGE DES FRAIS D'OBSÈQUES
SUR LE COMPTE DU DÉFUNT**

Madame,

Je vous ai informée, le 14 octobre, du décès, le 12 octobre
dernier, de ma mère, Anne Arnaud, titulaire du compte n° 8999
956 488 Y dans votre agence.

Le dernier relevé de compte indiquant un solde largement
créditeur, je vous prie de bien vouloir débloquer la somme de
3 050 euros pour régler les frais d'obsèques.

Vous trouverez ci-jointe la facture des pompes funèbres.

Veuillez agréer, Madame, l'expression de ma considération
distinguée.

PJ : facture des pompes funèbres

MODÈLE **LETTRE AU PROPRIÉTAIRE**

Monsieur,

Mon père, Jean Bert, étant décédé (ci-joint l'extrait d'acte de décès), je vous donne congé de l'appartement qu'il vous louait 5, rue du Nord, pour le 30 mai. Je n'ai pas encore retrouvé le bail.

Recevez, Monsieur, l'expression de mes salutations distinguées.

PJ : extrait d'acte de décès

7j

MODÈLE **LETTRE À UN ORGANISME DE CRÉDIT**

Monsieur,

J'ai le regret de vous informer du décès, le 4 novembre dernier, de mon fils, Monsieur Alain Terrasse, demeurant 5, rue des Petits-Pas à Agen (47000).

Celui-ci avait fait auprès de votre agence un emprunt pour l'achat de son appartement.

Le contrat de crédit prévoyait la prise en charge des mensualités de remboursement en cas de décès. Vous voudrez donc bien veiller à ce que les mensualités de remboursement ne soient plus exigées.

Vous trouverez ci-joints un extrait de l'acte de décès et les références du contrat.

Veuillez agréer, Monsieur, l'expression de ma considération distinguée.

PJ : extrait d'acte de décès et références du contrat

AR – 30 j

V I E   F A M I L I A L E

Monsieur,

J'ai le regret de vous informer du décès, le 19 juillet dernier, de mon mari, Monsieur Paul Vanel, demeurant 16, rue du Puits à Béziers (34500), affilié sous le numéro 1 52 03 63 115 107.

Je vous serais reconnaissante de bien vouloir m'indiquer si votre caisse assure le versement d'un capital décès et/ou d'une allocation obsèques et, le cas échéant, de m'adresser les imprimés permettant de le*[s]* percevoir. *[Je vous remercie de bien vouloir me verser le capital décès prévu par votre réglementation.]*

Vous trouverez ci-joints les pièces nécessaires.

Dans l'attente de votre réponse, je vous prie d'agréer, Monsieur, l'expression de mes salutations distinguées.

PJ : extrait d'acte de décès et photocopie du livret de famille

Monsieur,

J'ai le regret de vous informer du décès, le 19 juillet, à la suite d'un accident de voiture, de ma compagne, Séverine Ruidael, demeurant 3, avenue des Pins à Champigny-sur-Marne (94500).

Elle avait contracté auprès de votre compagnie une assurance-décès *[une assurance-vie]* à mon bénéfice. Je vous serais donc reconnaissant de bien vouloir me verser la prime prévue par contrat.

[Je vous serais reconnaissant de bien vouloir m'indiquer si elle avait conclu auprès de votre compagnie un contrat d'assurance-décès et, le cas échéant, quel en est le bénéficiaire et quelles sont les formalités à accomplir pour obtenir le versement de ladite prime ?]

Vous trouverez ci-joint un extrait de l'acte de décès.

Dans l'attente de votre réponse, je vous prie d'agréer, Monsieur, l'expression de mes salutations distinguées.

PJ : extrait d'acte de décès

MODÈLE DEMANDE DE VERSEMENT D'UNE PENSION DE RÉVERSION

Monsieur,

Mon mari [mon ex-mari], Monsieur Alain Champion, demeurant 10, boulevard de la Mer à La Baule (44500), est décédé le 4 mai. Il était retraité depuis le 1er février 1992 et affilié à votre caisse de retraite sous le n° 1 33 04 44 109 101.

Pouvez-vous m'indiquer quelles sont les conditions de versement de la pension de réversion et m'adresser les imprimés nécessaires pour en faire la demande ?

Vous trouverez ci-joints un extrait de l'acte de décès ainsi qu'une photocopie du livret de famille.

Veuillez agréer, Monsieur, l'assurance de ma considération distinguée.

PJ : extrait d'acte de décès et photocopie du livret de famille

MODÈLE DEMANDE DU TESTAMENT AU NOTAIRE

Maître,

J'ai le regret de vous faire part du décès, le 14 septembre dernier, de ma mère, Madame Lucie Ducas, demeurant 26, rue du Petit-Chêne à Lausanne (1002).

Elle avait, je crois, rédigé un testament que nous n'avons pas retrouvé à son domicile. Pouvez-vous me dire si elle l'avait déposé à votre étude ? De toute façon, puis-je vous demander de bien vouloir me fixer un rendez-vous à votre étude le plus tôt possible et pouvez-vous avoir l'amabilité de vous charger de régler sa succession ?

Vous trouverez ci-joints un extrait d'acte de décès ainsi qu'une photocopie du livret de famille.

Dans l'attente de votre réponse, je vous prie d'agréer, Maître, l'assurance de ma considération distinguée.

PJ : extrait d'acte de décès et photocopie du livret de famille

30 j

■ RENDEZ-VOUS

Chère Diane,

Comme convenu, nous irons chercher tes deux filles au train de 16 h 25, samedi. Dis-leur d'emprunter le passage souterrain : nous les attendrons au guichet, situé à la sortie de la gare. C'est très simple, elles ne peuvent pas se tromper.

Je t'embrasse ainsi que Claire et Valérie.

Cher Monsieur,

N'ayant pu vous joindre par téléphone, je vous adresse ce petit mot pour annuler notre rendez-vous de jeudi à 16 h 30. Par suite d'un empêchement personnel, il ne me sera pas possible de m'y rendre. Veuillez, je vous prie, m'en excuser.

Je vous rappellerai, si vous le permettez, la semaine prochaine pour convenir d'un nouveau rendez-vous.

Veuillez agréer, Cher Monsieur, mon meilleur souvenir.

Chère Madame,

En ouvrant mon agenda, je viens de m'apercevoir que nous avions rendez-vous aujourd'hui à 13 heures. J'avais totalement oublié et j'en suis très confuse. Je suis un peu désorganisée car mon fils est à l'hôpital.

Veuillez, je vous prie, m'excuser pour cet oubli. Je vous rappellerai pour convenir d'un nouveau rendez-vous.

Croyez, Chère Madame, à mon meilleur souvenir.

MODÈLE **EXCUSES POUR UN RENDEZ-VOUS MANQUÉ**

Catherine,

J'avais laissé un message sur ton répondeur pour te dire que je ne pourrais pas être là à 19 heures. Tu n'as pas dû pouvoir l'écouter puisque tu as appelé chez moi.

Crois bien que je suis désolée de t'avoir manquée, mais j'étais retenue chez Anne, qui allait très mal et ne voulait pas que je parte.

Excuse-moi et rappelle-moi pour que nous nous voyions la semaine prochaine.

Amitiés.

■ REMERCIEMENTS

MODÈLE **REMERCIEMENTS POUR UN ENTRETIEN ACCORDÉ**

Cher Monsieur,

Merci infiniment d'avoir accepté de me recevoir. Grâce à votre exposé sur la situation actuelle du petit commerce et à vos réponses à toutes mes questions, j'ai maintenant une vision plus claire de ce que je pourrai entreprendre.

Si vous le permettez, je vous rappellerai d'ici à quelques mois pour vous tenir au courant de l'évolution de mon projet.

En vous remerciant encore, je vous prie d'agréer, Cher Monsieur, l'expression de mon respectueux souvenir.

Chère Hélène, Cher Pierre,

J'ai été très heureuse de découvrir enfin votre maison, dont vous m'aviez tant parlé : vous avez su la rendre très confortable tout en préservant son charme. Ce séjour a été pour moi une vraie détente. Les promenades dans la forêt et les dîners au coin du feu resteront des souvenirs inoubliables.

Bien à vous,

Chère Laure, Cher Patrice,

Ce week-end était formidable ! Nous n'oublierons pas la balade en vélo, le grand pique-nique sur la plage et les parties de pétanque à l'apéritif ! Vos amis étaient très sympathiques et drôles. Vous avez vraiment l'art de mettre tout le monde à l'aise et d'accueillir chaleureusement vos invités.

Merci mille fois de nous avoir si gentiment invités.

Bien amicalement,

Chère Madame,

Merci pour ce dîner si sympathique. Nous avons vraiment passé une très agréable soirée. Et j'ai été ravie de rencontrer madame Grenier, dont vous m'aviez tant parlé.

Encore merci.

Croyez, Chère Madame, à mon meilleur souvenir.

Chère Laurence,

Ta soirée était vraiment réussie, comme toujours d'ailleurs, et tes amis extrêmement sympathiques. Tu as pu le constater, personne n'avait envie de s'en aller...

Merci encore. Je t'embrasse.

MODÈLE | **REMERCIEMENTS POUR UN CADEAU DE NAISSANCE**

Chère Madame,

C'est vraiment très gentil à vous d'avoir tant gâté notre petite Sonia. La salopette et le pull que vous lui avez offerts sont ravissants. Vous avez bien fait de choisir la taille six mois, car Sonia grandit de jour en jour.

Philippe se joint à moi pour vous exprimer notre meilleur souvenir.

■ VŒUX DE NOUVEL AN

MODÈLE | **CARTES DE VŒUX**

Une bonne année à toute la famille.
Affectueusement.
Anne et Olivier

Bonne et heureuse année 2005 à vous quatre.
À très bientôt.
Bien amicalement.
Jacques et Sylvie

Que l'an 2004 vous apporte joies et bonheur,
et soit l'occasion de nous voir souvent !

Bonne et heureuse année !
À bientôt, j'espère.
Jean

Meilleurs vœux pour une année de succès,
amicalement.
Anne

Chère Marie,

Je te souhaite une année pleine de folies, de succès et d'amour !

Je t'embrasse très fort.

Cher Louis, Chère Claude,

Tous mes vœux de bonheur fait de joies familiales

et de succès professionnels pour l'année 2005 !

Bien à vous.

MODÈLE **VŒUX À UNE AMIE VIVANT AU LOIN**

Très Chère Julie,

Le premier de mes vœux pour cette nouvelle année est que nous puissions enfin nous revoir, soit que tu viennes en Suisse, soit que je puisse aller passer des vacances au Québec.

Tes lettres me font toujours extrêmement plaisir et me permettent de suivre un peu ta vie. Mais si seulement nous pouvions passer une semaine ensemble ! Nous avons tant de choses à nous raconter...

À part cela, je te souhaite de trouver un nouveau travail plus intéressant et, bien sûr, de continuer à filer le parfait amour avec Peter (il serait grand temps que je le connaisse...).

Transmets-lui d'ailleurs tous mes vœux.

Mille baisers et à très bientôt j'espère.

MODÈLE **VŒUX À UN AMI AU CHÔMAGE**

Cher Paul,

Je te souhaite tout particulièrement une très bonne année.

Que l'an 2004 t'apporte enfin le travail que tu cherches.

J'admire beaucoup ton courage et la ténacité dont tu fais preuve.

J'espère de tout cœur que tes efforts seront bientôt récompensés.

Bien affectueusement.

MODÈLE **REMERCIEMENTS POUR DES VŒUX**

Cher Joël,

Un grand merci pour vos vœux reçus ce matin.

À mon tour, je vous présente les miens. Et je souhaite, en particulier, que nous ayons l'occasion de travailler à nouveau ensemble.

Bien amicalement.

Chère Dorothée,

Merci de tout mon cœur, ma chère Dorothée, pour ta carte qui m'a beaucoup touchée. Je te souhaite une année pleine de bonheur et de succès.

Je t'embrasse.

VIE FAMILIALE

Enfance et scolarité

VIE FAMILIALE

CRÈCHES ET NOURRICES

MODÈLE **DEMANDE D'ADRESSES DE CRÈCHES**

Madame,

Mon mari est muté à Béziers, où nous allons nous installer au mois d'août. Je serai moi-même employée à la société Parc à partir du 1er septembre et j'aimerais confier ma fille, qui aura alors huit mois, à une crèche [à une nourrice].

Je vous serais reconnaissante de bien vouloir me communiquer les adresses des crèches [des nourrices] les plus proches de notre futur domicile (8, rue des Belles-Feuilles) afin que je puisse les contacter. Je souhaiterais, en effet, savoir le plus rapidement possible si l'une d'elles pourra accueillir mon bébé.

Avec mes remerciements, je vous prie d'agréer, Madame, mes salutations distinguées.

MODÈLE **DEMANDE DE PLACE DANS UNE CRÈCHE**

Madame la Directrice,

Mon mari étant muté à Béziers, nous devons emménager, au mois d'août, 8, rue des Belles-Feuilles, à proximité de votre crèche. Ayant moi-même trouvé un emploi à plein temps à la société Parc, j'aimerais savoir si vous pourrez accueillir dans votre crèche ma fille Sandra à partir du 1er septembre. Elle est née le 5 janvier et aura alors huit mois.

Je vous serais très reconnaissante de me répondre le plus rapidement possible, afin que je puisse, éventuellement, trouver une autre solution en cas de réponse négative de votre part.

Si, comme je l'espère, vous avez une place disponible pour Sandra, pouvez-vous m'indiquer les formalités à remplir pour l'inscription ?

Dans l'attente de votre réponse, veuillez agréer, Madame la Directrice, l'expression de mes sentiments distingués.

■ GARDES D'ENFANTS, AIDES FAMILIALES

Madame,

Ayant deux enfants (un de quatre ans et un autre de trois mois), je cherche une jeune fille *[ou un jeune homme]* au pair pour me seconder. Je dispose d'une chambre individuelle pour la *[le]* loger.

Je souhaiterais connaître la nationalité des jeunes gens ou des jeunes filles que vous pourriez éventuellement m'adresser et aimerais savoir s'ils parlent déjà un peu le français.

Pouvez-vous également me préciser les principales conditions du travail au pair ?

– Quel est, en dehors de la garde des enfants, le type de tâches que l'on peut demander d'effectuer ?
– Quel est le nombre maximal d'heures de travail par semaine, par jour ?
– Est-il obligatoire de fournir tous les repas ? Combien de temps faut-il déduire ?
– Combien d'argent de poche faut-il verser par mois ?
– Quelles sont les charges sociales à payer ?
– Comment les jours de congé sont-ils établis ?

Dans l'attente de votre réponse, je vous prie d'agréer, Madame, mes salutations distinguées.

Madame,

Votre petite annonce parue dans *le Courrier de l'Ouest* du 4 mai m'intéresse vivement.

J'ai 18 ans, j'adore les tout-petits et je serais très heureuse de m'occuper de vos trois enfants. L'été dernier, j'ai travaillé au pair dans une famille où je m'occupais d'une petite fille de 2 ans et d'un bébé de 6 mois. Si vous souhaitez obtenir des renseignements me concernant, vous pouvez vous adresser à la mère des enfants, Mme Deschamps, 4, rue des Hirondelles à Dampierre (28). Tél. : 02 37 14 78 50.

Je reste à votre disposition pour vous fournir tout renseignement complémentaire ou pour vous rencontrer si vous le désirez.

Veuillez agréer, Madame, l'expression de mes sentiments distingués.

MODÈLE   PETITES ANNONCES DE DEMANDE DE GARDE D'ENFANTS

Cherche jeune fille ou jeune femme pour s'occuper de 3 enfants de 5 ans, 3 ans et 6 mois. Expérience exigée. Logée, nourrie. Proximité Bordeaux. Tél. : 05 57 14 89 57.

Urgent. Rech. aide familiale pour garder 3 enfants et pour petit ménage. Lundi-vendredi 8 h-20 h. Paris XVe. Tél. : 01 44 85 97 35.

Recherche jeune femme pour garder bébé au dom. parents. Sérieuses références contrôlables. Lyon. Tél. : 04 47 89 97 01.

MODÈLE   PETITES ANNONCES D'OFFRE DE GARDE D'ENFANTS

Dame quarantaine, aimant les enfants, se propose pour les accompagner à l'école, aller les chercher à la sortie et les garder jusqu'au soir. Mme DUPIN. 12, rue des Épinettes, Le Mans. Tél. : 02 43 58 96 24.

Jeune homme 23 ans, avec expér., non fumeur, bilingue français et anglais, cherche travail au pair contre logement : ménage, garde enfants. Tél. : 01 48 78 95 56.

Baby-sitting. Jeune fille sérieuse garderait enfants à la sortie de l'école et le soir. Alexia. Tél. : 05 58 79 63 25.

■ LOISIRS (CENTRES DE)

DEMANDE DE RENSEIGNEMENTS SUR UN CENTRE DE LOISIRS

Madame,

Ma fille Vanessa, âgée de 15 ans, souhaiterait vivement s'inscrire aux cours de danse ou de théâtre.

Elle a suivi pendant trois ans des cours de danse rythmique, mais jamais encore de cours de théâtre. Elle serait disponible le mercredi et/ou le samedi après-midi.

Pouvez-vous avoir l'amabilité de m'adresser une documentation sur ces activités, en me précisant le nom des professeurs, leur formation, le niveau des cours et leur prix ?

Ma fille pourra-t-elle venir assister à un cours avant de s'inscrire ?

Je vous remercie et vous prie d'agréer, Madame, l'expression de mes salutations distinguées.

REMERCIEMENTS À L'ANIMATEUR D'UN CLUB

Monsieur,

Pascal m'a appris que vous alliez quitter notre ville pour monter votre propre club de judo dans le Périgord. Nous vous souhaitons tout le succès possible, mais sachez que nous allons tous vous regretter beaucoup.

Depuis que Pascal suit votre entraînement, voilà bientôt trois ans, il s'est formidablement épanoui. Lui qui était plutôt chétif, renfermé et timide, il s'est physiquement développé, a pris confiance en lui-même et s'est ouvert aux autres. Au-delà des vertus du sport, le mérite en revient au climat dynamique et chaleureux que vous avez su faire régner parmi ces jeunes.

Les Périgourdins ont beaucoup de chance de vous accueillir.

Merci encore pour ce que vous avez su apporter à tous les élèves et à Pascal en particulier.

Croyez, Monsieur, à mon meilleur souvenir.

MODÈLE **REPROCHES À L'ANIMATEUR D'UN CLUB**

Monsieur,

Fabrice se réjouissait beaucoup d'appartenir à votre club de foot. Or, je le vois revenir tous les mercredis après-midi énervé et déçu.

Pourquoi les séances d'entraînement commencent-elles toujours avec un retard de trois quarts d'heure ? Pourquoi règne-t-il un climat de rivalité et de violence parmi ces jeunes, loin de l'esprit « sportif » auquel on s'attend ?

Quand j'étais venu vous voir il y a deux mois pour vous faire part de mes inquiétudes, vous m'aviez promis de commencer les séances à l'heure et de veiller à ce que l'ambiance y soit meilleure.

Je constate qu'il n'en est rien et suis donc au regret de vous informer que j'ai décidé de retirer mon fils de votre club.

Veuillez croire, Monsieur, à mes salutations distinguées.

VIE FAMILIALE

■ VACANCES (CENTRES ET ORGANISMES DE)

MODÈLE **DEMANDE DE RENSEIGNEMENTS À UN CLUB DE VACANCES SPORTIVES**

Monsieur,

Mon amie, Mme Benot, m'a recommandé votre club que son fils Alain connaît et dont il est revenu ravi l'été dernier. J'aimerais inscrire ma fille Odile, âgée de 17 ans, à un stage d'initiation à la voile pour les vacances de Pâques.

Pourriez-vous m'envoyer une documentation sur les activités proposées ainsi que les conditions d'inscription et le prix du séjour, et me donner, en particulier, des informations sur les dates de stage, les types de bateaux, la formation des moniteurs et le mode d'hébergement.

Vous en remerciant à l'avance, je vous prie d'agréer, Monsieur, mes salutations distinguées.

Monsieur,

Je voudrais envoyer mon fils Éric, âgé de 14 ans, un mois en Angleterre cet été. Voudriez-vous me faire parvenir une documentation sur les différents types de séjours linguistiques que vous proposez dans ce pays ainsi que les conditions d'inscription.

A priori, je préférerais un échange plutôt qu'un séjour en hôte payant. Et je souhaiterais également que mon fils suive des cours d'anglais plusieurs heures par jour.

Dans l'attente de votre réponse, je vous prie d'agréer, Monsieur, l'expression de mes salutations distinguées.

Madame,

J'ai bien reçu la documentation que vous m'avez envoyée sur les séjours linguistiques en Angleterre.

Je serais éventuellement intéressée par un séjour en juillet dans une famille anglaise pour ma fille âgée de 14 ans. Mais, avant de me décider, j'aimerais que vous me donniez quelques précisions complémentaires.

– Pouvez-vous m'assurer que la famille d'accueil comportera bien une jeune fille à peu près du même âge que la mienne ? Que cette famille aura le temps de s'occuper d'elle et de lui faire visiter sa région ? En d'autres termes, pouvez-vous m'assurer que tous les loisirs ne se passeront pas devant la télévision ?

– Y aura-t-il d'autres hôtes étrangers en séjour pendant la même période ? Si oui, combien et de quelle[s] nationalité[s] ?

Vous remerciant de bien vouloir répondre à mes questions, je vous prie d'agréer, Madame, mes salutations distinguées.

MODÈLE	RENSEIGNEMENTS SUR L'ENFANT ADRESSÉS
	AU DIRECTEUR D'UN CENTRE DE SÉJOURS LINGUISTIQUES

Monsieur le Directeur,

Vous trouverez ci-joint le dossier d'inscription de mon fils Marc dans votre centre de vacances.

J'en profite pour vous signaler – à titre confidentiel – que Marc, qui vient d'avoir 10 ans, n'est encore jamais parti en vacances sans ses parents ou ses grands-parents. Il est un peu timide et angoissé, ce qui se manifeste parfois par un « pipi au lit ». Cela arrive cependant très rarement. Si c'était le cas, il ne faudrait surtout pas que ses moniteurs y fassent allusion devant ses camarades !

De toute façon, Marc est ravi de partir et le fait d'être au bord de la mer avec des camarades de son âge lui fera sans doute le plus grand bien.

En vous remerciant de votre attention, je vous prie d'agréer, Monsieur le Directeur, mes salutations distinguées.

PJ : dossier d'inscription

MODÈLE	LETTRE D'ACCOMPAGNEMENT D'UN DOSSIER MÉDICAL

Monsieur le Directeur,

Vous trouverez ci-joint le dossier médical de ma fille Marie Bot.

Je me permets d'attirer votre attention, et celle des moniteurs, sur les nombreuses allergies dont souffre Marie. En effet, si ma fille reste longtemps au soleil, elle risque d'avoir un œdème important. Elle est généralement très prudente, mais pourrait se laisser entraîner par ses camarades. Je lui ai préparé une trousse à pharmacie avec tout ce qu'il faut pour la soigner dans ce cas.

Par ailleurs, si Marie est piquée par une guêpe, elle doit prendre aussitôt un antihistaminique.

Avec mes remerciements, veuillez recevoir, Monsieur le Directeur, l'expression de mes salutations distinguées.

PJ : dossier médical

Madame,

Ma fille Nathalie, actuellement en séjour chez vous, m'écrit des lettres un peu désespérées... Elle me dit que ses camarades la tiennent à l'écart et que, chaque fois qu'elle veut participer à un jeu, elle a, me dit-elle, l'impression d'être « en trop ».

Je ne sais pas si les moniteurs se rendent compte de son état, car elle fait souvent semblant d'aller bien et n'exprime pas beaucoup ses sentiments. Pourraient-ils surveiller d'un peu plus près son comportement et essayer, si elle a vraiment du mal à s'intégrer, d'en parler avec elle ?

Vous remerciant de votre compréhension et de celle de vos moniteurs, je vous prie d'agréer, Madame, l'assurance de ma considération distinguée.

Monsieur le Directeur,

Mon fils Christian vient de m'écrire pour me dire à quel point il s'ennuie dans la famille d'accueil où il se trouve. Celle-ci ne correspond d'ailleurs en rien à ce que vous m'aviez annoncé.

Vous m'aviez promis qu'il y aurait des jeunes de son âge : or, il n'y a dans cette famille que deux enfants de un et trois ans. Mon fils a quinze ans et ce ne sont pour lui ni des camarades de jeu ni même des enfants avec qui pratiquer son anglais...

Quant aux parents, ils sont peut-être gentils mais semblent totalement débordés.

Dans ces conditions, vous comprendrez mon mécontentement et mon inquiétude pour mon fils, isolé dans une maison en pleine campagne. Je vous demande donc de lui trouver une autre famille d'accueil dans laquelle il y ait des jeunes de son âge.

Je compte sur vous pour agir vite et vous prie d'agréer, Monsieur le Directeur, l'expression de mes salutations distinguées.

■ FOYER D'HÉBERGEMENT

MODÈLE **LETTRE POUR APPUYER LA DEMANDE**
D'UN ENFANT MAJEUR

Monsieur,

Mon fils Jean Rounit vient de vous adresser une demande pour obtenir une place dans votre foyer à partir de la rentrée prochaine.

Je souhaiterais vivement que vous puissiez l'accueillir, car je sais qu'il trouvera dans votre établissement une ambiance chaleureuse, favorable à son travail.

Je tiens également à vous confirmer que je me porte garant*[e]* du règlement de sa pension.

Veuillez agréer, Monsieur, l'expression de ma considération distinguée.

■ INSCRIPTIONS

MODÈLE **DEMANDE DE PASSAGE DANS LE PRIMAIRE**
AVANT L'ÂGE REQUIS

Madame la Directrice *[Monsieur l'Inspecteur]*,

Pourriez-vous avoir l'amabilité d'autoriser, dès la rentrée, le passage anticipé dans le primaire de mon fils Luc, né le 5 mai 1999 ?

Luc aura six ans au cours du troisième trimestre scolaire. Il a tiré beaucoup de profit de ses années de maternelle, est très sociable et sait déjà presque lire.

Son institutrice et moi craignons qu'il ne s'ennuie et ne se désintéresse de l'école s'il reste encore une année en maternelle.

Vous trouverez ci-jointe la photocopie de son dossier.

Veuillez agréer, Madame la Directrice *[Monsieur l'Inspecteur]*, l'assurance de ma considération distinguée.

PJ : photocopie du dossier scolaire

Comment s'adresser aux chefs d'établissement ?

Pour les crèches, maternelles et écoles primaires
Monsieur le Directeur, Madame la Directrice.

Pour les collèges
Monsieur le Principal, Madame le Principal (mais on peut aussi dire Madame la Principale). Ou Monsieur le Proviseur, Madame le Proviseur, si l'établissement regroupe à la fois collège et lycée.

Pour les lycées
Monsieur le Proviseur, Madame le Proviseur (surtout pas Madame la Proviseuse).

Pour les universités (dans certaines UFR)
Monsieur le Doyen, Madame le Doyen (surtout pas Madame la Doyenne).

MODÈLE **DEMANDE D'INSCRIPTION DANS UN ÉTABLISSEMENT SCOLAIRE**

Madame *[Monsieur]* le Proviseur,

Nous venons nous installer cet été à Nîmes, à côté de votre lycée. Je souhaiterais donc inscrire ma fille pour la rentrée scolaire.

Anne, née le 22 mai 1990, est en classe de troisième au collège Georges-Brassens (Paris XIXe) ; elle devrait sans problème passer en seconde. Elle étudie l'anglais et l'espagnol. Vous trouverez ci-jointes les photocopies de ses derniers bulletins scolaires.

Je reste à votre disposition pour vous donner tous renseignements.

Veuillez agréer, Madame *[Monsieur]* le Proviseur, l'expression de ma considération distinguée.

PJ : photocopies des bulletins et enveloppe timbrée
[à votre adresse]

| MODÈLE | **DEMANDE D'INSCRIPTION DANS UNE ÉCOLE D'UN AUTRE SECTEUR** |

Madame la Directrice,

Vous serait-il possible d'inscrire ma fille Natacha Simon-Dupuy en classe de maternelle dans votre établissement à partir de la rentrée prochaine ?

Travaillant pour la société Cocair, 30, rue de Breteuil, donc à cinq minutes à pied de votre école *[En effet sa sœur est en seconde au lycée Lavoisier, juste à côté]*, je pourrais *[et elle pourrait...]* facilement accompagner et venir rechercher ma fille chaque jour. Si, en revanche, je dois l'inscrire dans l'école qui dépend de mon domicile, je serai obligée de la conduire à l'école une demi-heure à l'avance et ne pourrai venir la rechercher qu'une demi-heure après la fin des classes.

Espérant vivement une réponse positive de votre part, je vous prie d'agréer, Madame la Directrice, l'assurance de ma considération distinguée.

| MODÈLE | **DEMANDE D'INSCRIPTION ADRESSÉE AU RECTEUR D'ACADÉMIE** |

Monsieur le Recteur,

Rentrant de l'étranger en décembre prochain, nous voulions inscrire nos deux enfants, Anne et Thierry, au lycée Montaigne, 24, rue Velin, à Montpellier. Or, ce lycée, par manque de place, a refusé notre demande.

Anne est en classe de seconde (anglais 1re langue, espagnol 2e langue) ; Thierry, en terminale S (anglais - allemand).

Pouvez-vous nous indiquer un lycée, pas trop éloigné, susceptible de les accueillir ?

Dans l'attente de votre réponse, je vous prie d'agréer, Monsieur le Recteur, l'assurance de ma considération distinguée.

■ STAGES POUR COLLÉGIENS

MODÈLE DEMANDE DE STAGE EN ENTREPRISE POUR UN COLLÉGIEN

Monsieur,

Mon fils Alexis, âgé de 14 ans et actuellement en classe de troisième au collège Pasteur, doit faire, à la demande de cet établissement, un stage en entreprise d'une durée de 15 jours du 1er au 15 mars.

Mon fils étant passionné par le commerce, et souhaitant entrer plus tard dans une école de commerce, je me demandais si vous accepteriez de le prendre dans votre entreprise pour la durée de ce stage.

Alexis est très ouvert et il est également précis et organisé. Il doit pouvoir vous aider aussi bien dans les contacts avec la clientèle que dans les différents travaux de bureau.

Espérant que vous voudrez bien examiner sa candidature, je vous prie d'agréer, Monsieur, l'expression de mes salutations distinguées.

MODÈLE DEMANDE DE STAGE POUR SA FILLE À UNE AMIE

Chère Marie,

Anne, actuellement en classe de troisième, doit faire, à la demande de son collège, un stage de deux semaines en entreprise durant la première quinzaine de février.

Tu sais peut-être qu'elle a envie de s'orienter plus tard vers le journalisme. C'est pourquoi je me demandais si ton journal accepterait de la prendre en stage. Elle se ferait ainsi une idée plus concrète de son futur métier.

Anne est travailleuse, organisée et pourrait vous rendre toutes sortes de petits services.

Si ce n'est pas possible, pourrais-tu éventuellement m'indiquer d'autres pistes ?

Merci d'avance. Mille amitiés.

MODÈLE **REMERCIEMENTS DES PARENTS POUR UN STAGE**

Chère Marie,

Merci infiniment d'être intervenue pour permettre à Anne de faire un stage dans ton journal. Bien que courte, l'expérience a été extrêmement intéressante. Anne a ainsi pu se rendre compte de la complexité des métiers de la presse et elle a beaucoup apprécié l'ambiance qui règne au sein de votre équipe.

J'espère qu'elle ne vous a pas trop dérangés, car elle m'a dit que vous aviez eu la gentillesse de lui faire découvrir les différents services du journal.

Merci encore. Bien à toi.

MODÈLE **REMERCIEMENTS POUR UN STAGE**

Chère Madame,

Grâce à vous, j'ai pu faire un stage passionnant et découvrir ce métier de journaliste qui me faisait rêver. La réalité m'est apparue beaucoup plus compliquée que je ne l'imaginais. Je ne me rendais pas compte de l'importance du travail d'équipe ni de celle des recherches documentaires préparatoires nécessaires à la réalisation d'un journal. J'ai aussi beaucoup apprécié de pouvoir assister à des séances de sélection de photos.

Vous trouverez ci-jointe une photocopie du mémoire de stage que j'ai rendu au collège. J'espère qu'il reflète mon enthousiasme et montre bien les différents aspects du métier.

En vous remerciant infiniment, je vous prie de croire, Chère Madame, à mes respectueux sentiments.

PJ : photocopie du mémoire de stage

■ EXPOSÉS, DOSSIERS

DEMANDE DE DOCUMENTS POUR UN EXPOSÉ

Monsieur,

Élève de troisième au collège Charlemagne, je dois, à la demande de mon professeur, préparer un exposé *[faire un dossier]* sur « la mer et ses ressources ».

Disposez-vous de documents ou même de diapositives sur ces sujets ? Je suis particulièrement intéressé par des informations sur l'exploration des grands fonds et des volcans sous-marins. Si oui, pourriez-vous avoir l'amabilité de me les poster ou de m'indiquer quand je peux venir les chercher et à qui m'adresser ?

Vous remerciant de votre aide, veuillez recevoir, Monsieur, l'expression de mes salutations distinguées.

■ EXAMENS

DEMANDE D'AUTORISATION DE SE PRÉSENTER À LA SESSION DE SEPTEMBRE

Monsieur le Recteur,

Ayant été gravement malade au mois de juin *[Par suite du décès de mon père...]*, je n'ai pas pu me présenter à la session de juin du baccalauréat, série scientifique.

Je souhaiterais donc, si cela est possible, que vous m'autorisiez à me présenter à la session de rattrapage de septembre.

Vous trouverez ci-joints ma convocation pour la session de juin et un certificat médical *[un extrait d'acte de décès de mon père...]*.

Je vous remercie de votre compréhension et vous prie d'agréer, Monsieur le Recteur, l'assurance de ma respectueuse considération.

PJ : convocation pour la session de juin, certificat médical *[acte de décès]* et enveloppe timbrée *[à votre adresse]*

MODÈLE DEMANDE DE COMMUNICATION DE SES COPIES D'EXAMEN

Monsieur,

Ayant été refusé à l'examen du baccalauréat, je souhaiterais comprendre les raisons de mon échec.

C'est pourquoi je vous serais reconnaissant de bien vouloir me communiquer les photocopies de mes copies d'examen ou de me dire quand je peux venir les consulter sur place.

En vous remerciant, je vous prie d'agréer, Monsieur, l'expression de mes salutations distinguées.

PJ : enveloppe timbrée *[à votre adresse]*

■ ÉCOLES, CONCOURS

MODÈLE DEMANDE DE RENSEIGNEMENTS SUR UNE ÉCOLE
DE FORMATION PROFESSIONNELLE

Monsieur le Directeur,

Ma fille Élodie, âgée de 16 ans, doit passer cette année le brevet des collèges et aimerait par la suite poursuivre des études de puériculture *[d'informatique, de secrétariat...]*. Elle a entendu parler de votre établissement par ses professeurs et souhaiterait s'y inscrire.

Je vous serais reconnaissant*[e]* de me donner des précisions.

– Quelles sont les conditions d'admission ?

– Quelle est la durée des études ?

– Y a-t-il des stages obligatoires ?

– Quel est le coût des études ?

– Existe-t-il des possibilités de bourse ?

– Quels sont les débouchés offerts aux élèves à la sortie de l'école ?

Je vous remercie vivement de bien vouloir me répondre et espère avoir bientôt l'occasion de vous rencontrer.

Veuillez agréer, Monsieur le Directeur, l'expression de ma meilleure considération.

Monsieur,

J'ai lu dans « Sur les traces du panda » – la lettre du Fonds mondial pour la nature – qu'il existait un nouveau concours pour devenir garde-moniteur dans les parcs régionaux ou nationaux.

Ayant obtenu le brevet des collèges l'année dernière et étant passionné par la faune et la flore, j'aimerais me présenter à ce concours. Pouvez-vous m'indiquer quelles sont les conditions d'inscription, les dates du concours et le programme des épreuves ? Où et quand faut-il venir chercher le dossier de candidature ? Quelle est la date limite d'inscription ?

Vous remerciant à l'avance de votre réponse, je vous prie de croire, Monsieur, à l'assurance de mes salutations distinguées.

■ BOURSE, AIDE FINANCIÈRE

MODÈLE **DEMANDE DE BOURSE**

Monsieur le Principal,

Pourriez-vous avoir l'amabilité de me faire parvenir un formulaire de demande de bourse pour ma fille Laetitia, inscrite en sixième dans votre établissement ?

La société dans laquelle je travaillais vient de déposer son bilan et je suis donc actuellement au chômage *[je suis actuellement en instance de divorce...]*. Étant donné les circonstances, j'espère que ma demande pourra encore être acceptée.

Veuillez agréer, Monsieur le Principal, l'assurance de ma considération distinguée.

MODÈLE   **DEMANDE D'AIDE FINANCIÈRE EXCEPTIONNELLE**

Confidentiel

Monsieur le Directeur,

Mon fils Pascal, élève de la classe de CP, aimerait beaucoup partir avec ses camarades en classe de neige. Ce séjour lui ferait le plus grand bien après la forte bronchite dont il a souffert ce trimestre.

Vivant seule et étant au chômage, je connais actuellement de graves difficultés financières.

J'ai toutefois réussi à réunir la somme de 107 euros, mais il me manque encore 76 euros. L'école dispose-t-elle d'une caisse de solidarité qui pourrait m'aider ?

[Dans le cas d'une réponse positive, je souhaiterais que mon fils ignore ma démarche.]

Dans l'attente de votre réponse, je vous prie d'agréer, Monsieur le Directeur, l'assurance de ma considération distinguée.

■ EXCUSES ET DISPENSES

MODÈLE   **AUTORISATION DE SORTIE DE L'ÉTABLISSEMENT SCOLAIRE**

Monsieur,

J'autorise mon fils Amaury DURET, élève de 5ᵉ C, à sortir du collège pendant les heures de permanence.

Nous habitons à cinq minutes à pied du collège, il pourra donc facilement rentrer chez lui, même pour une heure ou deux.

Veuillez agréer, Monsieur, l'assurance de ma considération distinguée.

EXCUSE POUR UNE LONGUE ABSENCE
POUR CAUSE DE MALADIE

Monsieur le Principal,

Mon fils Grégory, élève de 6ᵉ B, souffre d'une hépatite virale.
Il ne pourra revenir en classe avant trois semaines. Veuillez, je vous
prie, l'en excuser et trouver ci-joint le certificat médical.

Serait-il possible, afin qu'il ne prenne pas trop de retard, que
ses professeurs lui transmettent les devoirs et les leçons les plus
importants par l'intermédiaire de ses camarades ?

Vous en remerciant à l'avance, je vous prie d'agréer, Monsieur
le Principal, l'assurance de ma considération distinguée.

PJ : certificat médical

EXCUSE POUR ANNONCER UNE ABSENCE

Madame,

Ma fille Olivia, élève de CM2, ne pourra pas venir en classe le
jeudi 12 octobre au matin, car elle doit assister à l'enterrement de
son grand-père qui aura lieu à 10 heures.

Je vous prie donc de bien vouloir l'excuser pour son absence.

Recevez, Madame, l'assurance de ma considération distinguée.

EXCUSE POUR UN DEVOIR NON FAIT

Monsieur,

Je vous prie de bien vouloir excuser mon fils Antoine qui n'a
pas pu faire son devoir de calcul *[apprendre sa leçon d'histoire...]*.

Nous étions partis à la campagne pour assister au mariage de
son cousin et nous sommes rentrés hier soir très tard. Antoine, qui
n'avait pas fait son travail à l'avance, a été sévèrement grondé et
nous veillerons à lui faire rattraper ce retard. Nous sommes
sincèrement désolés de cet incident qui ne se renouvellera pas.

Veuillez agréer, Monsieur, mes salutations distinguées.

MODÈLE DEMANDE DE DISPENSE D'ÉDUCATION PHYSIQUE

Monsieur,

Mon fils Julien souffre d'un mal de dos chronique et le médecin lui a prescrit des séances de kinésithérapie. En revanche, il lui a interdit de suivre les cours d'éducation physique et sportive du collège.

Vous trouverez ci-joint un certificat médical.

[Ma fille Nathalie a souffert d'une grave indigestion cette nuit qui l'a empêchée de dormir, aussi je vous prie de la dispenser aujourd'hui d'éducation physique.]

Veuillez agréer, Monsieur, mes salutations distinguées.

PJ : certificat médical

■ LETTRES AUX ENSEIGNANTS

MODÈLE MOT D'EXPLICATION SUR DES DIFFICULTÉS
PASSAGÈRES DE L'ENFANT

Madame,

Ma fille Élodie vient de perdre hier sa grand-mère, à laquelle elle était très attachée.

Je tenais à vous en informer afin que vous ne vous étonniez pas si elle est peu attentive en classe ces jours-ci, car elle est très affectée par ce décès.

La messe et l'enterrement auront lieu samedi prochain. Il est donc très probable qu'elle soit également perturbée en début de semaine prochaine.

Je vous remercie de votre compréhension et vous assure, Madame, de ma sincère gratitude.

Monsieur Paul Durand
51, rue Rémy Dumoncel
75014 Paris
Tél. : 01 42 55 68 93

Paris, le vendredi 20 avril 2003

Monsieur,

Mon fils Bruno vient de me faire signer son dernier bulletin scolaire sur lequel vous signalez qu'il a peu de chances de passer dans la classe supérieure à moins de fournir un véritable effort.

Cela m'inquiète vivement et je souhaiterais en discuter de vive voix avec vous.

Vous serait-il possible de me fixer un rendez-vous, sans que cela vous dérange trop, le soir après 18 h 30 ou le samedi après 12 heures ?

Dans l'attente de votre réponse, je vous prie d'agréer, Monsieur, l'assurance de ma considération distinguée.

[signature]
P. Durand

MODÈLE **DEMANDE D'EXPLICATION SUR LA NOTATION D'UN DEVOIR**

Madame,

Mon fils Nicolas m'a montré hier soir le devoir que vous lui avez rendu. Malgré le corrigé donné en classe, il n'a toujours pas compris pourquoi vous lui aviez mis la note 3 et l'appréciation « à côté du sujet ».

Il est donc rentré totalement découragé, avec le sentiment d'être victime d'une injustice. Il s'était appliqué et croyait avoir bien compris le sujet. J'avoue moi-même ne pas saisir vraiment les raisons de votre notation et de vos commentaires...

Pourriez-vous avoir l'amabilité de revoir avec lui son devoir afin de lui expliquer ce qui n'allait pas ? Sinon, je crains qu'il ne se désintéresse de son travail au moment même où il fait des efforts !

Vous remerciant de votre compréhension, je vous prie de croire, Madame, à ma respectueuse considération.

MODÈLE **REMERCIEMENTS À UN ENSEIGNANT PAR LES PARENTS**

Chère Madame,

Anita a vraiment repris goût à l'école et s'y est beaucoup épanouie cette année. Nous savons bien, son père et moi, que c'est à vous qu'elle le doit et nous tenons à vous en remercier vivement.

Grâce à votre enthousiasme et à votre patience, vous avez su lui donner confiance en elle et lui transmettre le désir d'apprendre. Elle qui attendait des heures avant de faire ses devoirs et s'ennuyait toujours sait maintenant s'organiser, travailler rapidement et elle adore la lecture. Par ailleurs, elle est beaucoup plus gaie et s'est fait plusieurs très bon[ne]s ami[e]s.

Nous n'oublierons pas votre compétence, votre gentillesse et votre compréhension à son égard.

Merci encore et croyez, Chère Madame, à notre profonde reconnaissance.

Cher Monsieur,

Venant d'avoir les résultats du bac, je tiens à vous annoncer tout de suite que je suis reçu. *[Non seulement je suis reçu, mais j'ai obtenu la mention « assez bien » !]*

[Ce succès, je vous le dois.] Vos cours passionnants et vos encouragements comptent pour beaucoup dans ma réussite.

Je voulais vous en remercier et vous dire que cette année restera marquée pour moi par le souvenir des cours de philosophie.

Veuillez agréer, Cher Monsieur, l'expression de ma respectueuse reconnaissance.

■ LETTRES AUX CHEFS D'ÉTABLISSEMENT

Madame *[Monsieur]* le Proviseur,

Après en avoir parlé avec d'autres parents, nous avons décidé de vous écrire pour vous faire part de nos inquiétudes. En effet, le bruit circule qu'il existe un trafic de drogue à l'intérieur du lycée.

Nous espérons qu'il ne s'agit là que d'un faux bruit. Mais, étant donné la gravité d'une telle éventualité, nous souhaitons qu'une enquête soit menée au plus vite pour savoir si ces rumeurs sont ou non justifiées.

Vous remerciant de bien vouloir réagir rapidement, nous vous prions d'agréer, Madame *[Monsieur]* le Proviseur, l'assurance de notre respectueuse considération.

Pierre Marchand Laure Murger

MODÈLE **CRITIQUE D'UN PROFESSEUR AUPRÈS D'UN PRINCIPAL**

Monsieur le Principal,

Mon fils Adrien, élève de 5ᵉ B, m'a appris en rentrant du collège que son professeur de mathématiques, M. Faber, à qui il avait répondu de façon insolente, lui avait répliqué : « Imbécile, bon à rien, tu finiras chômeur comme ton père. » (Propos confirmés par un camarade de classe.)

J'ai aussitôt réprimandé mon fils pour son insolence et lui ai demandé d'aller présenter ses excuses dès le prochain cours à son professeur. Mais il me paraît inadmissible que les enseignants perdent le contrôle d'eux-mêmes au point de tenir de tels propos, et en particulier d'évoquer une situation familiale délicate. Je vous serais reconnaissant[e] de faire une remarque à M. Faber à ce sujet.

Je suis à votre disposition pour vous rencontrer ou rencontrer M. Faber si vous le désirez.

Veuillez agréer, Monsieur le Principal, l'assurance de ma considération distinguée.

MODÈLE **LETTRE À UN PROVISEUR POUR L'AVERTIR DE RACKET**

Monsieur le Proviseur,

Mon fils Julien, élève en classe de seconde, me fait savoir qu'il fait l'objet, lui et plusieurs de ses camarades, de racket de la part d'élèves de première, racket accompagné de brimades humiliantes. Il a ainsi été obligé de céder son blouson et sa calculatrice, sous menace de coups, menaces qui l'ont vraiment effrayé.

D'autres parents, à qui leurs enfants se sont également plaints, se joignent à moi pour confirmer ces pratiques de racket.

Ces faits sont graves et nous vous demandons de nous recevoir pour en parler et voir quelles mesures peuvent être prises pour rétablir au plus tôt une situation plus saine dans votre établissement.

Je vous remercie de bien vouloir réagir rapidement, et vous prie de recevoir, Monsieur le Proviseur, l'expression de ma considération distinguée.

■ ORIENTATION SCOLAIRE

DEMANDE DE CONSEILS D'ORIENTATION

Madame,

Ma fille Clara s'interroge beaucoup sur son orientation. Elle hésite entre la poursuite de ses études secondaires et une formation technique.

J'aimerais en discuter avec vous puisque vous la connaissez bien. Pourriez-vous avoir l'amabilité de me fixer un rendez-vous ? Je suis à votre disposition pour vous rencontrer tous les jours après 18 heures ou le samedi à l'heure qui vous conviendra.

Vaut-il mieux, à votre avis, que nous nous voyions d'abord en tête à tête ou estimez-vous préférable que Clara assiste à l'entretien ?

Dans l'attente de votre réponse, je vous prie d'agréer, Madame, l'expression de mes salutations distinguées.

■ PSYCHOLOGUE SCOLAIRE

INFORMATION SUR UN PROBLÈME TOUCHANT L'ENFANT

Madame,

Je ne voudrais pas intervenir dans vos rapports avec ma fille Anna, qui semblent lui être très profitables. Mais, au cas où elle ne l'aurait pas déjà fait elle-même, il me paraît nécessaire de vous informer d'un fait récent qui doit gravement la perturber.

En effet, son père a quitté la maison lundi, sans doute pour aller vivre avec une autre femme, et il ne semble pas décidé à revenir. Anna, qui lui est très attachée, souffre beaucoup de son absence. Avec moi et en famille, elle réagit en s'enfermant dans le silence.

Je suis à votre disposition pour vous rencontrer si vous pensez que cela peut vous aider.

Croyez, Madame, à l'assurance de ma considération distinguée.

COURS PARTICULIERS

Paiement des cours particuliers

Mettez le chèque ou les billets sous enveloppe, accompagnés d'une carte de visite ou d'un petit mot sur lequel vous écrirez, par exemple :
– En vous remerciant vivement de l'aide que vous apportez chaque samedi en mathématiques à Coralie.
– Merci infiniment pour ces cours de français qui passionnent Pascal et lui ont permis d'améliorer sa moyenne.
– Avec tous mes remerciements et mes sentiments les meilleurs pour les progrès de Dominique en philosophie.

MODÈLE   **DEMANDE DE COURS PARTICULIERS**

Madame,

Ma fille Coralie vient de me montrer le devoir de mathématiques *[français...]* que vous lui avez rendu avec une très mauvaise note. Ce n'est malheureusement pas la première fois...

En discutant avec elle, il apparaît qu'elle se sent totalement dépassée et incapable, même en travaillant, d'obtenir de meilleurs résultats. C'est pourquoi je me demande s'il ne serait pas souhaitable qu'elle prenne quelques cours particuliers pour la remettre à niveau.

Qu'en pensez-vous ? Vous serait-il possible de lui consacrer quelques heures ou bien pouvez-vous m'indiquer quelqu'un ?

Je me permettrai de vous téléphoner jeudi prochain, le 17 février, pour en discuter de vive voix avec vous.
[Me permettez-vous de vous téléphoner ? ou Puis-je vous téléphoner ?]

Je vous remercie de l'intérêt que vous portez à vos élèves et vous prie de croire, Madame, à toute ma reconnaissance.

Étudiant en licence de lettres modernes
propose surveillance des devoirs et cours à domicile
de la 6ᵉ à la terminale.
Tél. : 01 45 87 96 23.
Laisser un message sur le répondeur en cas d'absence.

Étudiante en licence de mathématiques
donne cours à domicile de la 6ᵉ à la terminale.
Remise à niveau, préparation intensive au bac.
Tél. : 03 85 97 54 63, de préférence après 20 heures (répondeur).

Cherche étudiant pour donner cours particuliers
de mathématiques à élève de terminale S.
Tél. : 05 56 98 58 85, après 19 heures.

Cherche étudiant(e) en philosophie (niveau licence ou maîtrise)
pour donner cours à domicile à élève de terminale L immobilisé
pendant un ou plusieurs mois, par suite d'un accident.
Tél. : 02 96 32 24 15.

ENSEIGNEMENT À DISTANCE

MODÈLE **DEMANDE D'ADRESSES D'ORGANISMES**
D'ENSEIGNEMENT À DISTANCE

Monsieur,

Ma fille, qui a obtenu le brevet des collèges l'année dernière et se trouve pour le moment immobilisée à la suite d'un accident, désirerait entreprendre des études d'informatique.

Pouvez-vous m'indiquer les différents organismes, publics ou privés, proposant un enseignement à distance conforme aux programmes officiels et qui lui permettraient d'obtenir un diplôme en 2 ans ?

Je vous remercie de ces renseignements et vous prie d'agréer, Monsieur, mes salutations distinguées.

MODÈLE **ANNULATION D'UN COURS PAYANT D'ENSEIGNEMENT**
PAR CORRESPONDANCE

Monsieur le Directeur,

Le 25 août dernier, soit il y a moins de trois mois (dossier n° 127), j'ai inscrit ma fille Odile Letellier à vos cours par correspondance. Après réflexion, je désire résilier ce contrat et vous prie donc de ne plus envoyer les cours.

Vous voudrez bien également me rembourser les sommes versées à l'avance lors de l'inscription, déduction faite de l'indemnité prévue en cas d'annulation et du montant correspondant aux cours déjà reçus.

Veuillez agréer, Monsieur le Directeur, l'expression de mes salutations distinguées.

Travail
et emploi

Emploi et formation

TRAVAIL ET EMPLOI

■ APPRENTISSAGE

DEMANDE DE PLACEMENT EN APPRENTISSAGE

Monsieur,

Terminant à la fin de cette année sa troisième au collège Blaise-Pascal de Bourguignon, mon fils Pierre, âgé de 15 ans, souhaite apprendre le métier de boulanger. Vous trouverez ci-jointes les photocopies de ses bulletins scolaires.

Votre entreprise est-elle bien agréée par le comité départemental de la formation professionnelle ? Accepteriez-vous de l'engager comme apprenti ?

Si mon fils entre en apprentissage chez vous, je l'inscrirai, comme il est obligatoire de le faire, au centre de formation des apprentis situé à Troyes.

Espérant vivement une réponse favorable de votre part, je vous prie d'agréer, Monsieur, l'expression de ma considération distinguée.

PJ : photocopies des bulletins scolaires

DEMANDE D'INSCRIPTION DANS UN CENTRE DE FORMATION DES APPRENTIS

Monsieur le Directeur,

Ma fille Annick a été acceptée comme apprentie dans l'entreprise de boulangerie Paquet agréée par le comité départemental de la formation professionnelle.

Pouvez-vous m'envoyer les formulaires nécessaires et m'indiquer les pièces à fournir pour l'inscrire dans votre centre de formation des apprentis ?

Dans l'attente de votre réponse, je vous prie d'agréer, Monsieur le Directeur, l'assurance de ma considération distinguée.

Recherche de stage

*L*a recherche d'un stage est souvent la première étape dans la découverte du monde du travail. Comme pour la recherche d'un emploi, il faut apporter le plus grand soin à la rédaction de son CV et de sa lettre de motivation. Voici quelques conseils pour bien démarrer.

■ LE CURRICULUM VITÆ

Même s'il est plus court que le CV destiné à la recherche d'emploi *(voir page 148)*, il doit être aussi soigné. Indiquez toujours avec précision votre formation : école, années d'études, spécialisation ou option, stages déjà effectués et les « jobs ».

■ LA LETTRE DE MOTIVATION

La lettre d'accompagnement doit être rédigée avec autant de sérieux que la lettre de candidature pour la recherche d'emploi *(voir page 162)*. Insistez sur votre envie de travailler dans l'entreprise et parlez de ce que vous pouvez apporter plutôt que du caractère obligatoire du stage.

Pour mettre en avant les facilités financières pour l'entreprise, préférez plutôt les termes de « stage conventionné » ou « stage dans le cadre d'un contrat de qualification » que celui de « stage obligatoire ». Si le stage peut ne pas être rémunéré, dites-le.

N'oubliez pas de préciser la durée, les dates et le thème du stage. Et indiquez dans quel service vous souhaitez l'effectuer et le type de mission que vous pourriez remplir.

Joignez éventuellement la photocopie de documents permettant de bien situer votre stage : le descriptif (mission, durée et période, modalités pratiques...) défini par l'école ou le calendrier pédagogique établi par l'organisme de formation.

Enfin, ne vous inquiétez pas si vous n'avez pas une réponse rapide. Elles sont parfois longues à venir.

■ EXEMPLES DE DEMANDES DE STAGE

CV POUR UN STAGE D'ASSISTANTE MATERNELLE
DANS LE CADRE D'UNE PRÉPARATION À UN CAP

Pauline Vatel
10, rue de Paris
94220 Charenton-le-Pont
Tél. : 01 46 89 75 65 (rép.)
E-mail : p.vatel@larousse.fr

20 ans
célibataire

FORMATION

1999-2001   Préparation du CAP petite enfance
            Cours par correspondance de France Cours,
            69814 Tassin-la-Demi-Lune

1996-1997   Niveau CAP de cuisine
            Apprentissage de la cuisine chez un traiteur :
            M. Renou, 35, place du Marché,
            94130 Nogent-sur-Marne

EXPÉRIENCE PROFESSIONNELLE

1995-1998   Employée au pair dans une famille de trois enfants
            âgés de 6 mois à 6 ans. J'accompagnais les enfants
            à la crèche et à l'école, et allais les rechercher, je leur
            donnais le bain, le goûter et le repas du soir, je lavais et
            repassais leur linge, rangeais leurs chambres. Quelques
            fois, les parents m'ont confié la responsabilité totale
            de leurs enfants durant plusieurs jours de suite.
            M. et Mme Dupuis,
            25, rue de Paris, 94220 Charenton-le-Pont,
            Tél. : 01 46 56 89 28, après 18 heures.

AUTRES ACTIVITÉS

Chant choral. Basket

MODÈLE | **LETTRE POUR UN STAGE D'ASSISTANTE MATERNELLE**
DANS LE CADRE D'UNE PRÉPARATION À UN CAP

Pauline Vatel
10, rue de Paris
94220 Charenton-le-Pont
Tél. : 01 46 89 75 65
E-mail : p.vatel@larousse.fr

Madame la Directrice de l'école maternelle
90, rue des Amandiers
94220 Charenton-le-Pont

Charenton, le 10 janvier 2002

Madame la Directrice,

Étant en deuxième année de préparation au CAP petite enfance, j'aimerais beaucoup effectuer un stage dans votre école maternelle.

Il s'agit là d'un stage conventionné dans le cadre des cours par correspondance de France Cours (établissement d'enseignement privé soumis au contrôle pédagogique de l'État). Ce stage doit durer de quatre à huit semaines et se situer entre décembre et février. Il pourra, en fonction de vos possibilités, être rémunéré ou non.

Je travaille actuellement au pair dans une famille de trois enfants (deux filles de 6 mois et 3 ans, un garçon de 6 ans) où j'ai découvert ma passion pour les tout-petits. J'adore inventer des jeux avec eux, leur apprendre des chansons, pratiquer les travaux manuels. Et je serais ravie de passer du stade familial à celui de la collectivité.

Vous trouverez ci-joints un bref curriculum vitae et la photocopie de la fiche d'information sur les stages du CAP petite enfance.

Restant à votre entière disposition pour vous rencontrer, je vous prie d'agréer, Madame la Directrice, l'expression de mes sentiments distingués.

Pauline Vatel

PJ : CV et photocopie de la fiche d'information

TRAVAIL ET EMPLOI

Agnès Papin
5, rue de Belle-Île
35000 Rennes   Née le 30/11/80 (22 ans)
Tél. : 02 99 58 87 74   Célibataire
E-mail : apapin@larousse.fr

STAGE RECHERCHÉ : assistante marketing direct
dans le cadre d'un contrat de qualification de 12 mois

FORMATION

2002	Préparation d'un DTA de marketing direct, université de Rennes
2001	BTS d'action commerciale
1999	Baccalauréat G3

LANGUES/CONNAISSANCES INFORMATIQUES

Anglais : notions
Espagnol : courant
Utilisation des logiciels Word, Write, Excel

STAGES

2000	3 mois : **magasin Super**, Cancale
	• vente et passation de commande
	• organisation de journées de promotion commerciale
2000	2 mois : **Éditions Natura**, Rennes
	• création et gestion d'un mailing
1999	2 mois : **Clim Rev'**, entreprise de climatisation, Rennes
	• marketing téléphonique

AUTRES EXPÉRIENCES

2001	2 mois : **Burger**, Rennes - vendeuse
1999	1 mois : **librairie La Bretagne**, Cancale - vendeuse

DIVERS

Animation d'un club de danses folkloriques

MODÈLE **LETTRE POUR UN STAGE D'ASSISTANTE MARKETING**
DANS LE CADRE D'UN CONTRAT DE QUALIFICATION

Agnès Papin
5, rue de Belle-Île
35000 Rennes
Tél. : 02 99 58 87 74
E-mail : apapin@larousse.fr

À l'attention de Madame Laure Picot
La Lisière
8, rue des Sables
35000 Rennes

Rennes, le 3 septembre 2002

Madame,

Titulaire d'un BTS d'action commerciale, inscrite à l'université
de Rennes pour un DTA (diplôme de technologie approfondie)
de marketing direct, j'aimerais vivement effectuer un stage dans
votre service de vente par correspondance.

Je connais en effet la qualité de vos produits et serais très
motivée pour les promouvoir.

Ce stage entre dans le cadre d'un contrat de qualification
de 12 mois en alternance et devrait commencer autour du
26 novembre 2002.

Vous trouverez ci-joint mon curriculum vitae. Je reste à votre
disposition pour vous rencontrer et vous fournir tous
renseignements complémentaires.

En vous remerciant à l'avance de bien vouloir examiner ma
demande, je vous prie d'agréer, Madame, l'expression de mes
sentiments distingués.

Agnès Papin

PJ : CV

Nicolas Pertin
3, impasse Moderne
91000 Évry   32 ans
Tél. : 01 38 95 87 45 (répondeur)   Vie maritale, un enfant
E-mail : nicolas.pertin@larousse.fr

FORMATION

2001-2002	**TOGE** - Technicien en organisation et gestion d'entreprise (comptabilité/informatique)
1998-1999	Technicien audiovisuel, Angers
1988	BEP d'agent administratif

EXPÉRIENCE PROFESSIONNELLE

1998-2000	**SAUMUR IMAGES**, société de production d'audiovisuels, Saumur, 10 personnes Assistant puis chargé de production – Élaboration du budget de sept audiovisuels (465 € à 2 324 € chacun) – Rédaction des dossiers financiers correspondants – Gestion du budget de tournage
1994-1998	**SEGYL**, producteur de semences, Angers
1989-1994	**MMF** (Maison moderne française), vente de mobilier sur catalogue, Le Mans Secrétaire administratif – Réorganisation du service – Contrôle et gestion des factures – Saisie des commandes

AUTRES INFORMATIONS

Utilisation courante des logiciels suivants : XPress, Illustrator, Excel, SAARI
Langues : assez bonnes notions d'anglais et d'espagnol
Trésorier de l'association des parents d'élèves du lycée Pasteur

MODÈLE | LETTRE POUR UN STAGE DE COMPTABLE DANS LE CADRE D'UN CYCLE DE FORMATION PROFESSIONNELLE EN ALTERNANCE

Nicolas Pertin
3, impasse Moderne
91000 Évry
Tél. : 01 38 95 87 45
E-mail : nicolas.pertin@larousse.fr

Monsieur André Tarfet
Directeur des ressources humaines
Melville
12, rue de Montreuil
75011 Paris

Évry, le 28 février 2003

Monsieur,

Suite à mon appel téléphonique, je vous confirme mon souhait de m'intégrer dans votre équipe comptable dans le cadre du cycle de formation professionnelle en alternance dipensé par l'IFoCoP.

Mes expériences de secrétaire administratif et de chargé de production ont développé mon sens de l'organisation et de la responsabilité. Elles m'ont amené à aborder divers problèmes de gestion. La formation TOGE que je suis actuellement me permet de renforcer et de compléter mes connaissances en ce domaine.

J'aimerais aujourd'hui mettre mon expérience et mes compétences à votre service, et me voir confier une mission de gestion comptable, financière, budgétaire ou de gestion des stocks.

Vous trouverez ci-joints mon CV et le calendrier pédagogique.

Restant à votre disposition pour vous fournir tout autre renseignement et vous rencontrer à votre convenance, je vous prie d'agréer, Monsieur, l'expression de ma considération distinguée.

Nicolas Pertin

PJ : CV et calendrier pédagogique de la formation TOGE

Paul Dupont
Résidence des Élèves
Chambre 227
École des Mines de Nancy
54000 Nancy
Tél. : 03 83 97 55 22
E-mail : pdupont@larousse.fr

Âge : 23 ans
(15 mai 1981)

OBJECTIF   VIE (volontariat international en entreprise)
commençant entre juillet et octobre

ÉTUDES

2000-2004	Élève à l'**École des Mines de Nancy**
Option conception innovation
1998-2000	Mathématiques supérieures et spéciales
(section M') au lycée Condorcet de Toulouse.
1998	Baccalauréat section C, mention Bien.

EXPÉRIENCE PROFESSIONNELLE

2004	Stage de 4 mois pour **ORDI** et **le laboratoire de Production des Mines de Nancy.**
Évaluation d'un nouveau logiciel de reconnaissance automatique, de mise en gamme et de planification d'un atelier.
2002-2003	Stage de 9 mois chez **MOTOR** (Automotive Operations) à **Detroit, États-Unis.**
• Calcul par éléments finis et test en laboratoire de la résistance de pièces de suspension.
• Développement à mon initiative d'une interface entre Nastran et un post-processeur (HyperMesh) permettant une meilleure interprétation des résultats.

2000   Stage de 2 mois à **Échappement Industrie**,
              Strasbourg.
              Étude du bruit engendré par la sortie
              des gaz d'échappement (étude théorique
              puis développement d'un logiciel en Fortran
              sur SUN).

1999   Stage de 2 mois chez **RUBBER & Co** (fabricant
              de supports de moteur) à Ann Harbour, Michigan,
              États-Unis.
              • Étude d'un poste de travail.
              • Réalisation sur Excel d'un logiciel de gestion
              des stocks pour un atelier.

LANGUES

Anglais   bilingue (séjours et stages aux États-Unis :
              plus de 18 mois).
Espagnol   courant.
Allemand   notions.

INFORMATIQUE

Langages   C++, Pascal, Fortran.
Logiciels   Excel (macros), Word, Euclid, Nastran, PDGS…

AUTRES ACTIVITÉS

2002-2004   Projet d'option : étude par éléments finis d'une
              structure de pilier de pont pour Praxis au sein d'une
              équipe de quatre élèves.
2001-2002   Membre du bureau du club de football. Responsable
              de l'organisation du tournoi inter-écoles (budget
              annuel de 30 049 euros).
Loisirs   Football.
              Voile (compétitions : Spi Ouest 01 et 02).
              Bridge (tournois).

Paul Dupont
Résidence des Élèves
Chambre 227
École des Mines de Nancy
54000 Nancy
Tél. : 03 83 97 55 22
E-mail : pdupont@larousse.fr

Monsieur Patrice Bertau
Autora
92, rue Jean-Sapidus
67000 Strasbourg

Nancy, le 18 octobre 2004

Monsieur,

Élève de troisième année à l'École des Mines de Nancy, j'ai été très intéressé par la présentation d'Autora faite sur le campus le 5 mai dernier. J'ai bien noté, également, que votre société offrait un certain nombre de postes de VIE.

Passionné par l'industrie automobile, j'ai effectué tous mes stages dans ce secteur, dont en particulier un stage de neuf mois chez Motor, aux États-Unis, où j'ai pu mettre à l'épreuve avec succès mes connaissances techniques et informatiques.

C'est pourquoi j'aimerais accomplir un volontariat international dans l'une de vos filiales en Angleterre ou en Espagne, de préférence dans la production ou le développement.

Vous trouverez ci-joints mon CV et mon dossier de candidature.

Vous remerciant de l'attention que vous voudrez bien lui porter, je vous prie d'agréer, Monsieur, l'expression de ma considération distinguée.

Paul Dupont

PJ : CV et dossier de candidature

■ DEMANDE D'EMPLOI

MODÈLE | **PETITES ANNONCES DE DEMANDE D'EMPLOI**

Facturière sur informatique,
création, suivi et relance clients.
Plus de 5 ans d'expér. professionnelle
rech. emploi durable. Région lyonnaise
Tél. : 04 69 15 45 85
le soir après 20 heures

Opérateur PAO
(connaissances en maquette)
parfaite maîtrise de
XPRESS • ILLUSTRATOR • PHOTOSHOP
cherche place stable
Tél. : 01 45 58 98 25

J.H. 28 ans
CAP Restauration
Expér., réf. contrôlables
rech. pl. BARMAN ou CHEF de RANG
Tél. : 01 41 58 96 26

Couple gardien retraité
assure remplacement imm. période de congés juin/août
Région méditerranéenne
Réf. contrôlables
Tél. : 02 43 25 69 78 H. repas

J.H. Électricien P3
polyvalent, bricoleur
Rech. place Paris banlieue
Tél. : 01 43 05 44 55

Curriculum vitæ

*L*e CV, ou curriculum vitæ (expression latine signifiant « carrière de la vie »), donne une première image d'un candidat. Il doit refléter sa personnalité, mettre en valeur son expérience et ses compétences en fonction de l'emploi et de l'entreprise visés. D'où l'importance de sa présentation et du choix des informations qu'il regroupe.

■ COMMENT RÉDIGER SON CV ?

Les entreprises reçoivent chaque année de nombreux CV. Pour attirer l'attention, le vôtre doit se distinguer par : une présentation soignée, une organisation reflétant votre parcours, une orthographe irréprochable et un style agréable à lire. Le tout devant donner une image positive et personnelle.

Une présentation claire, soignée et classique

Le CV est toujours dactylographié, sans aucune rature ni correction manuscrite. Il peut être photocopié uniquement si la photocopie est de belle qualité.

Rubriques Elles seront bien cadrées, bien alignées, séparées au minimum par un double interligne.

Originalité À moins de chercher un emploi dans un domaine créatif, évitez la trop grande originalité (qui risquerait d'agacer le recruteur et de faire écarter votre candidature).

Format Utilisez de préférence une feuille blanche de format standard (21 x 29,7 cm), d'un papier suffisamment épais (80 g), et n'écrivez que d'un côté.

Typographie Les traitements de texte permettent de jolies présentations. Mais contentez-vous de deux ou trois types de caractères, en gras, en italique ou soulignés si nécessaire. Ne multipliez pas les effets au risque de dérouter votre lecteur.

Un ordre logique

Un jeune diplômé adoptera l'ordre chronologique et mettra sa formation en avant.

Une personne ayant déjà une longue carrière aura plutôt intérêt à adopter l'ordre chronologique inversé : en commençant par l'emploi le plus récent pour finir par les plus anciens.

Quelqu'un ayant cumulé des expériences diverses regroupera celles-ci par thèmes. Mais, quel que soit l'ordre retenu, il devra être très clair pour que le recruteur s'y retrouve facilement.

Une orthographe impeccable

Attention à l'orthographe, y compris celle des noms propres, mais aussi à la ponctuation et à l'emploi des majuscules. Faites relire votre CV par des relations ou des amis compétents en la matière.

Un style bref, simple, agréable à lire

Un CV doit être court, facile à parcourir. L'important doit sauter aux yeux. Les recruteurs ont souvent des centaines de CV à lire... Une page (si vous avez peu d'expérience) ou deux, c'est le maximum.

Évitez les énumérations inutiles, les allusions à votre vie privée...

N'écrivez pas non plus en style télégraphique. Le CV doit se lire agréablement. Et surtout, évitez d'écrire à la première personne.

Une image de soi positive et personnelle

Mettez en valeur vos points forts. Inutile d'indiquer que vous avez échoué à un examen, que vous êtes au chômage ou en instance de divorce si on ne vous le demande pas précisément. Mais ne mentez jamais.

Votre CV doit vous refléter. Ne recopiez pas directement un modèle mais adaptez-le à votre personnalité. Vous construirez ainsi un CV à vous, unique, correspondant à l'emploi que vous visez. Ne vous montrez pas non plus trop prétentieux, trop catégorique, trop battant...

■ QUE METTRE DANS SON CV ?

La personne responsable des ressources humaines d'une entreprise n'a que peu de temps à consacrer à chaque CV. Il est donc indispensable qu'elle comprenne immédiatement votre parcours, votre profil et surtout votre demande. Voici quelques conseils pratiques pour organiser et détailler les éléments constituant votre CV.

Fiche d'identité : ne mettez pas de titre

Indiquez en haut de la première page : votre prénom suivi de votre nom en majuscule, votre adresse, le*[s]* numéro*[s]* de téléphone, de fax et l'adresse e-mail au*[x]* quel*[s]* on peut vous joindre, votre âge et/ou votre année de naissance.

Vous pouvez aussi ajouter, si cela vous paraît utile, votre nationalité, votre situation de famille (marié, divorcé, célibataire, vie maritale), le nombre et l'âge de vos enfants. Les jeunes, hommes et femmes, pourront aussi indiquer DOM (dégagé des obligations militaires).

Accroche : un moyen rapide de vous situer

Placée juste au-dessous de la fiche d'identité, l'accroche permet de vous décrire en quelques mots simples ou à attirer l'attention sur des compétences rares qui peuvent intéresser l'entreprise visée :
- Vendeuse trilingue : chinois, japonais, français
- Expérience : 5 ans chargée de communication
- Poste recherché : directeur des Ressources humaines
- Jeune diplômée de HEC
- Emploi recherché : secrétariat-accueil à mi-temps

- Mon objectif : redresser une PME dans le secteur du bâtiment.

Formation : ne développez pas inutilement

Si vous n'avez pas de diplôme, indiquez votre niveau de fin d'études. Si vous avez obtenu des diplômes, mentionnez les plus élevés et leur date d'obtention. Si vous avez un BTS, inutile de parler du brevet des collèges. Si vous avez une maîtrise, inutile de parler du DEUG. En revanche, une math sup, une math spé, une hypokhâgne et une khâgne sont des « plus ». Et il est d'usage d'indiquer l'année du bac et, éventuellement, la mention obtenue. Pour les études supérieures, précisez la spécialisation, le diplôme et le sujet de maîtrise et de thèse.

Langues et informatique

Elles peuvent faire l'objet d'une sous-rubrique de « Formation » ou de rubrique*[s]* indépendante*[s]*.

Langues Indiquez votre niveau de maîtrise des langues, de préférence par les termes « notions », « courant » et « bilingue », plutôt que « lu », « écrit » et « parlé ». Spécifiez, le cas échéant, si vous avez fait de longs séjours à l'étranger ou si vous avez travaillé en utilisant régulièrement une langue étrangère.

Informatique Précisez les logiciels que vous savez utiliser : Word, XPress, Excel, etc.

Expérience professionnelle

Un bon CV doit être simple, renvoyer une image de stabilité et d'esprit de décision.

Ordonner Mieux vaut supprimer certaines expériences, ou les regrouper par thèmes, que de donner un sentiment d'éparpillement. Sélectionnez les informations en relation avec l'emploi et l'entreprise que vous visez.

Détailler Indiquez avec précision les postes occupés, la durée, le nom de l'entreprise (inutile de mentionner son adresse surtout quand c'est une entreprise connue) et, si nécessaire, son secteur d'activité, son chiffre d'affaires, etc.

Exemples Faites ressortir les actions menées et les résultats obtenus de façon concrète et objective. Illustrez-les, si possible, par des éléments chiffrés.

Précis Soyez concis : ne consacrez pas plus de cinq lignes par poste.

Autres activités ou centres d'intérêt

Cette rubrique permet de mettre en relief un certain aspect de votre personnalité, tel que l'esprit d'équipe, le sens de l'initiative, l'endurance... Mais elle n'offre d'intérêt que si vous pouvez faire preuve d'une démarche approfondie et/ou originale.

Originalité Inutile d'insister sur votre goût pour la lecture, le cinéma ou les voyages. La plupart des candidats peuvent en dire autant. En revanche, indiquez si vous avez effectué un voyage de plusieurs mois seul*[e]* à 18 ans, si vous vous êtes arrêté*[e]* de travailler pendant un an pour faire du bénévolat auprès de personnes âgées, si vous pratiquez des sports collectifs ou si vous jouez un rôle actif dans une association...

Expériences Stages, jobs d'été, activités d'attente. Sous l'un de ces intitulés vous pourrez éventuellement mentionner des activités témoignant de votre dynamisme, surtout si vous postulez pour un premier emploi ou si vous avez des « trous » dans votre CV.

Ce qu'il vaut mieux éviter

Pour certaines informations, il est préférable d'attendre un entretien à moins bien entendu qu'elles ne soient demandées par l'entreprise.

Rémunération Ne mentionnez pas sur votre CV vos prétentions. C'est une question qu'il est préférable d'aborder lors de l'entretien d'embauche. Si, toutefois, le recruteur vous demande expressément d'indiquer votre rémunération actuelle, n'essayez pas de tricher.

Références Ne donnez pas vos références sur le CV, mais plutôt lors de l'entretien. Il est préférable en effet de profiter de l'entretien pour évoquer le nom des personnes avec qui vous avez travaillé et qui pourraient témoigner de vos qualités et compétences.

Photo d'identité

Facultative, sauf si on vous la demande, la photo permet au recruteur de se souvenir du candidat. Elle sera toujours souriante (autant donner envie de travailler avec vous), de bonne qualité, d'un format d'identité (pas de photo de vacances…). Vous la collerez (pas d'agrafe) en haut à droite du CV. Si vous photocopiez un CV avec une photo, faites une photocopie laser.

■ EXEMPLES DE CURRICULUM VITÆ

MODÈLE CV DE CANDIDATE AYANT CONNU UNE LONGUE PÉRIODE D'INACTIVITÉ ET BÉNÉFICIANT D'UNE FORMATION CONTINUE

Françoise Benoit
28, rue du Progrès
13005 Marseille
Tél. : 04 91 98 75 69
33 ans
Mariée, 2 enfants

EMPLOI RECHERCHÉ : GESTION DES STOCKS

FORMATION CONTINUE

2001-2002   Stage d'agent professionnel du magasinage - IFTIM
Marseille
850 heures, dont 250 en entreprise
• Gestion informatisée des stocks

- Préparation des commandes
- Fonction magasinage

Stage en entreprise : Padric (Marseille),
fabricant de vêtements, 80 personnes
- Saisie informatique - Préparation de
commandes et ordonnancement

FORMATION INITIALE

1988   Diplôme de responsable de petites et moyennes
        collectivités
1986   BEPC

EXPÉRIENCE PROFESSIONNELLE

1990-1993   Maison de retraite Soleio (Cassis)
            70 personnes
            Adjointe du responsable du service économat
            Participation à diverses tâches :
            - gestion du budget restauration et entretien
            - choix des fournisseurs
            - répartition des tâches du personnel du service
1989-1990   École maternelle Jules-Ferry (Vitrolles)
            Assistante de l'économe
            - accueil des fournisseurs
            - suivi administratif et comptable

AUTRES ACTIVITÉS

1992-1998   Éducation de mes enfants
            Fondation et animation d'un club de bébés nageurs

DIVERS

Permis cariste
Brevet national de secourisme

Laure Etriche
Résidence du Large
5, rue des Pins
29200 Brest
Tél. : 02 98 25 98 87
26 ans
Vie maritale, 1 enfant en nourrice

AGENT DE CONDITIONNEMENT
5 années de travail dans la même usine

EXPÉRIENCE PROFESSIONNELLE

2001-2004   Marinos France, Brest - Conserverie
             Travail à la chaîne à un rythme soutenu :
             approvisionnement, élimination des produits
             défectueux, contrôle des dates de péremption,
             filmage et étiquetage.

2000-2001   Gam, Quimper - Biscuiterie
             Manutention, préparation des palettes,
             entretien des machines et des locaux.

ÉTUDES
Niveau BEPC
Niveau CAP couture

DIVERS
Championne départementale de basket (1999)

FAC-SIMILÉ **CV DE JEUNE DIPLÔMÉ**
D'UN BREVET DE TECHNICIEN SUPÉRIEUR

Dominique Vrins
4, boulevard Diderot
66000 Perpignan
Né le 12 octobre 1979, 23 ans
Célibataire - DOM
Tél. : 04 68 80 21 45
E-mail : d.vrins@larousse.fr

FORMATION
2001   BTS Mise en œuvre des matières plastiques
1999   Bac F1 Mécanique générale
Spécialisations
        Transformation des matières plastiques
        Mouliste
        DAO (Microcad)
        Tourneur-fraiseur : commande numérique,
        électroérosion

EXPÉRIENCE PROFESSIONNELLE
2000   **Plastex,** Perpignan (66000), 120 personnes
        Stage de trois mois sous la direction du chef
        du bureau d'études
        • étude sur le polystyrène expansé : établissement
        des paramètres de réglage et détermination
        du pourcentage d'erreurs lors de l'expansion
        • pratique du moulage
1999   **Garage Vertou,** Tressere (66300)
        Stage de deux mois comme assistant du chef
        mécanicien. Restauration de voitures de collection
1998   **Loca-cycles,** St-Cyprien-Plage (66200)
        Stage de trois mois au service entretien des motos en
        location

DIVERS
Modélisme : construction de maquettes de bateaux

SPORTS
Tennis

Dominique Damien
45, boulevard Hoche
59000 LILLE   24 ans (née le 10/11/80)
Tél. : 03 20 75 98 61   Célibataire
E-mail : damiendom@larousse.fr   Française

FORMATION

1999-2002   Diplôme EDHEC
             École des hautes études commerciales à Lille
             Option finance
1997-1999   Préparation au lycée Lakanal, Sceaux
1997   Baccalauréat C (option internationale).
             Mention assez bien

Langues

             Grec : bilingue (langue maternelle)
             Anglais : courant (deux ans aux États-Unis)
             Espagnol : notions

Informatique

             Utilisation de Word, Excel, Lotus

EXPÉRIENCE PROFESSIONNELLE

2002-2004   **CRÉDIT DE FRANCE, Athènes**

             • Financements de projets : étude de
               faisabilité, analyse des risques et mise au point
               du montage financier (ingénierie financière)
               de différents projets d'infrastructure touristique

             • Analyse financière de bilans d'entreprises
               conditionnant l'octroi de crédits 16 mois :
               VIE (volontariat international en entreprise)

2001   **BROTHERS & CO, Paris**

- Participation à une étude sur les transports
  en Europe réalisée pour la Commission
  européenne : rassemblement de données,
  analyse et contacts avec les clients

- Participation à une étude sur la stratégie
  des sociétés d'assurance SECUR et GARANT
  3 mois

2000   **BANQUE DE PARIS**
               Capital Market, New York, salle des Marchés

- Réalisation d'une étude sur la possibilité
  de développer des options de change
  sur une nouvelle devise

- Conception et réalisation de lettres
  d'information hebdomadaires destinées
  à la clientèle
  2 mois et demi

1999   **PYRAX, Paris,** Trésorie et services financiers

- Gestion informatique de la dette Pyrax
- Étude des actions Pyrax et concurrents
  1 mois

AUTRES ACTIVITÉS

Divers   Aide à la gestion de l'association d'aide
              au développement « Mali Renouveau »
              Participation à un chantier de deux mois au Mali
              en 1999

TRAVAIL ET EMPLOI

Agnès Gros
3, rue du Vieux-Pont
63300 Thiers
Tél. : 04 73 25 98 87
E-mail : agnesgros@larousse.fr

COMPTABILITÉ ET SECRÉTARIAT
9 ans d'expérience

EXPÉRIENCE PROFESSIONNELLE

- Comptabilité
  - Gestion de trésorerie
  - Tenue de la comptabilité
  - Facturation
  - Mise en place d'une comptabilité analytique
  - Établissement des bulletins de paie
  - Déclarations sociales et fiscales
- Secrétariat
  - Saisie de courrier et de documents divers
  - Préparation et comptes rendus de réunions
  - Réception des appels téléphoniques, prise de rendez-vous
  - Accueil des clients et visiteurs
  - Organisation des déplacements
  - Négociations avec les agences de voyages
  - Revue de presse

Dans les entreprises et organismes ci-dessous,
de 1983 à 2003 :
Direction de l'équipement à la Région Centre, Clermont-Ferrand :
35 personnes
Assurances ROYER, Clermont-Ferrand :
délégation régionale, 12 personnes

PARINA SA, Toulouse :
  entreprise de services informatiques, 25 personnes
Canam, intérim, Clermont-Ferrand :
  imprimerie Lenoir, Le Puy SARL,
  Faribot SA, Actor France
Fast Interim, Thiers :
  Manufactor SA, Cabor France,
  Fédération des mutuelles de France

FORMATION

Formation continue

1997-2000   Diplôme préparatoire aux études comptables
            et financières
1995-1996   Stages de perfectionnement aux outils
            bureautiques, CCI Thiers
            Deux fois 5 semaines

Formation initiale

1983   Brevet de technicien supérieur
            (action commerciale)
1982   Baccalauréat (techniques administratives)

Connaissances informatiques

            Utilisation de Word, Excel, Multiplan, Ciel Compta
            (sur PC et Mac)

Langues

            Anglais : courant
            Allemand : notions

Informations personnelles

            39 ans
            Divorcée, un enfant (18 ans)

Pierre Camois
5, rue de Montmirail
26200 Montélimar
Tél. : 04 75 98 54 78 (d)
Tél. : 04 75 68 56 56 (b)   45 ans
Fax : 04 75 98 14 12   marié, 2 enfants adultes

25 ANS d'EXPÉRIENCE DANS LE BÂTIMENT

1977-2002 Société PIERIC - Montélimar
Entreprise 4 étoiles, spécialisée dans le négoce
et la pose de la pierre
80 personnes
Chiffre d'affaires en 2002 : 243 918 €

1995-2002 Directeur commercial
- Promotion d'une politique de grands chantiers
  et d'opérations prestigieuses en France :
  Futuroscope de Poitiers (228 674 €),
  Corum de Montpellier (701 265 €),
  Théâtre de Nîmes (457 347 €), etc.
- Négociation et signature des premiers marchés français soumis
  à une concurrence européenne : Euro Land
  (deux hôtels de 350 632 € chacun)
  Diversification et développement des marchés conquis
  Augmentation de la marge dégagée (+ 25 %)

1991-1995 Responsable d'exploitation
- Supervision des premiers grands chantiers à l'étranger :
  métro du Caire (289 653 €),
  hôtels Shetor à Abu Dhabi (213 429 €)

- Responsable de la stratégie commerciale pour l'export
  en collaboration avec le PDG
  Recherche et négociation de marchés dans les Émirats

1983-1991 Conducteur de travaux
- Suivi des travaux, gestion des chantiers, du personnel
  et de la logistique
- Coordination de corps d'état secondaires
  Suivi de chantiers de SCI, de collectivités locales
  et de réalisations de prestige
- Mise en place à mon initiative de nouvelles méthodes
  de rémunération des ouvriers et de gestion des coûts ;
  introduction d'un système de primes indexées
  sur le rendement

1977-1983 Métreur
- Travail au bureau d'études : métrés et analyse des prix

FORMATION
BTS de métreur, lycée technique Dupleix
Formation continue :   stages à la Chambre de commerce
                        et d'industrie de Montélimar,
                        section bâtiment
                        1992 - les techniques d'encadrement
                        1995 - la gestion des PME
Anglais courant : un an en Angleterre en 1973-1974
Arabe : notions

AUTRES ACTIVITÉS
Depuis 1989 Examinateur au lycée technique Dupleix
             dans la discipline « pierre »
Loisirs : escalade, violoncelle

Lettre de candidature

*L*a lettre de candidature, qu'elle soit spontanée ou en réponse à une annonce, doit, comme le curriculum vitæ, être aussi soignée dans sa présentation que dans son contenu. Elle doit éviter les formules inutiles telles que « je sollicite par la présente », « j'ai l'honneur », « à la recherche d'un emploi, je me permets de vous adresser ma candidature »...

■ QUELQUES CONSEILS

Pour toutes les lettres de candidature, il est nécessaire de rédiger un texte compréhensible et agréable à lire. Pour cela, vous devez apporter un soin particulier tant à la forme qu'au contenu. Ainsi, vous mettrez tous les atouts de votre côté.

Agréable à lire, propre et sans fioritures

La lettre d'accompagnement doit tenir en une seule page. Elle peut être manuscrite (le recruteur l'exige parfois) ou dactylographiée, mais jamais photocopiée. On signe toujours à la main. Il est conseillé d'écrire avec soin sur du papier blanc uni de qualité supérieure (format 21 x 29,7 cm ; 80 g), avec un stylo ou, éventuellement, un feutre, à l'encre bleue ou noire. Mais n'utilisez pas de crayon à bille.

Faites des phrases courtes et claires, des paragraphes séparés par un interligne à chaque changement d'idée. Les ratures sont bien sûr proscrites, comme les fautes d'orthographe. Surtout n'hésitez pas à faire relire votre lettre par différentes personnes. Vous éliminerez ainsi au fur et à mesure des lectures les fautes et les tournures maladroites.

Offrez vos services, n'implorez pas un emploi

Plus personnalisée que le CV, la lettre d'accompagnement doit dire en quelques lignes ce que vous pouvez apporter à l'entreprise.

Montrez la connaissance que vous avez de la société et les raisons pour lesquelles vous avez envie d'y travailler.

Résumez votre parcours en quelques mots, en mettant en avant les responsabilités que vous avez assumées.

Évoquez vos qualités de façon précise et détournée. Dites « mes études de droit m'ont apporté de la rigueur » plutôt que d'affirmer « je suis rigoureux*[se]*».

Concluez en offrant vos services et en montrant en quoi ils peuvent être utiles à l'entreprise.

Évitez la naïveté, les évidences, la trop grande insistance

N'essayez pas d'avoir l'air « battant » à tout prix. Mais ne dévoilez pas non plus vos faiblesses. Ne dites ni « je vous assure que je suis le meilleur » ni « étant au chômage, je serais ravi si ma candidature pouvait retenir votre attention ».

Éliminez les évidences du genre « je suis prêt à m'engager totalement dans les tâches que vous voudrez bien me confier » (heureusement !).

Sollicitez un entretien, mais n'essayez pas de forcer la main. Mieux vaut terminer votre lettre par « je reste à votre disposition pour tout entretien » plutôt que par « dans l'attente de vous rencontrer ».

■ CANDIDATURE SPONTANÉE

Avant de vous précipiter dans la rédaction d'une candidature spontanée, demandez-vous si vous souhaitez vraiment travailler dans cette entreprise. Si vous êtes motivé et véritablement attiré par cette société, vous aurez plus de chance de déclencher un intérêt réel chez votre interlocuteur.

Adressez votre lettre au directeur des ressources humaines, au directeur du département qui vous intéresse, voire au chef d'entreprise s'il s'agit d'une PME-PMI (un coup de téléphone à la société en question vous permettra de connaître le nom de la personne à qui adresser votre courrier). Si vous avez obtenu le nom de la personne par votre réseau de relations, rappelez comment et par qui vous avez connu son nom. Un employeur potentiel préfère toujours savoir comment on est parvenu jusqu'à lui.

Adaptez le texte de votre lettre à chaque entreprise, en expliquant en quoi vos compétences peuvent être utiles à cette société (à moins que pour un premier poste vous ne fassiez un envoi groupé, ou « mailing »).

Mettez en avant les caractéristiques permettant à l'entreprise d'obtenir une subvention : travailleur handicapé, contrat initiative emploi, etc.

Ne dites surtout pas que vous êtes prêt à faire n'importe quoi. Donnez une idée assez précise de ce que vous voulez faire et du [des] poste[s] qui vous intéresse[nt]. Ne confondez pas employeur et conseiller en carrière.

■ RÉPONSE À UNE ANNONCE

La motivation est bien évidemment essentielle pour répondre à une annonce. Cependant, c'est surtout la correspondance parfaite entre votre parcours, votre expérience, vos qualités et la demande de l'entreprise qui sera décisive.

Quand une annonce vous intéresse, donnez-vous le temps de bien la comprendre. Vous pourrez ainsi dégager les critères de recrutement. Cela vous permettra d'organiser votre réponse autour de l'axe recherché (diplômes, années d'expérience, niveau de maîtrise d'une [de] langue[s] étrangère[s], etc.).

N'hésitez pas à modifier la présentation de votre curriculum vitæ en conséquence. Mettez en avant les compétences correspondant le mieux aux exigences du recruteur.

Ces questions résolues, répondez le plus rapidement possible après la parution de l'annonce, tout en n'oubliant pas de rappeler sa référence. Mais attention, rapidité ne veux pas dire précipitation ! Prenez le temps de bien appliquer toutes les consignes nécessaires à la rédaction d'une lettre. Elle devra répondre point par point aux demandes formulées dans l'annonce.

Expliquez en quoi cette annonce vous a attiré, en quoi vous vous y êtes reconnu. Si, par exemple, on demande une personne bilingue, parlez de votre expérience des langues. À vous de faire ressortir ce qui, dans votre parcours ou votre formation, répond aux exigences exprimées dans l'annonce.

EXEMPLES DE LETTRES DE CANDIDATURE

MODÈLE **RÉPONSE À UNE ANNONCE POUR UN POSTE D'INFIRMIÈRE**

Marie Durand
Cité Maurice-Thorez
33130 Bègles
Tél. : 05 56 89 87 96
E-mail : madurand@larousse.fr

La Maison-Blanche
14, rue de Londres
17200 Royan

Réf. : 745 85/IDE

Bègles, le 17 mars 2003

Monsieur le Directeur,

Votre maison de repos pour enfants recherche une infirmière et je suis très intéressée par ce poste. Infirmière diplômée d'État, je travaille depuis deux ans dans une clinique esthétique, à Bordeaux. Mais, en réalité, je préférerais soigner des enfants. J'ai déjà eu souvent l'occasion de m'occuper d'enfants en tant qu'animatrice de centres de vacances (je suis titulaire du brevet d'aptitude aux fonctions d'animateur). Je joins à ma lettre mon curriculum vitæ.

Je suis célibataire, donc totalement disponible, et serais très heureuse de venir à Royan dans les conditions que vous proposez.

Espérant que ma candidature retiendra votre attention, je vous prie d'agréer, Monsieur le Directeur, l'expression de mes salutations distinguées.

Marie Durand

PJ : CV

Laurence Dupois
28, rue Molière
94800 Villejuif
Tél. : 01 47 23 64 89
E-mail : dupois@larousse.fr

Le 14 février 2004

Référence : SRG-CP

Madame,

Chef de produit depuis près de trois ans chez Sander, je suis vivement intéressée par le poste de chef de produits France et International chez Nipodor pour lequel vous avez fait paraître une annonce dans *Le Courrier* du 12 février.

Diplômée de l'INALCO (Institut national des langues et civilisations orientales) et de l'ISG (Institut supérieur de gestion), je pourrais mettre au service de votre société à la fois ma connaissance du japonais et mon expérience du marketing.

Mes activités chez Sander m'ont amenée à élaborer et à mettre en œuvre des plans marketing, à organiser et à gérer des opérations promotionnelles, à lancer de nouveaux produits puis à assumer la responsabilité du suivi des ventes et de la gestion des budgets.

Trilingue et m'intéressant beaucoup à l'art japonais, j'ai aussi une assez bonne connaissance de l'informatique ainsi qu'une grande capacité de dynamisme et de travail.

Vous trouverez ci-joint mon CV. Je me tiens à votre disposition pour tout entretien que vous voudrez bien m'accorder.

En espérant vivement pouvoir vous rencontrer bientôt, je vous prie d'agréer, Madame, l'expression de mes sentiments distingués.

Laurence Dupois

PJ : CV

MODÈLE RÉPONSE À UNE ANNONCE POUR UN POSTE DE JURISTE

Claude Vertou
12, rue des Entrepreneurs
89200 Avallon
Tél. : 03 86 58 78 95
E-mail : c.vertou@larousse.fr

Votre réf. : 14. 119. 01 Poste : 49 28
À l'attention de M. Frédéric Coufard

Cabinet Page
3, boulevard Jouffroy
31000 Toulouse

Toulouse, le 13 janvier 2002

Monsieur,

Juriste, spécialisé en droit des affaires, j'ai acquis durant cinq ans au sein des laboratoires Clichy une expérience du droit pharmaceutique, du droit de la concurrence et de la consommation. C'est pourquoi je suis extrêmement intéressé par votre annonce citée en référence.

Je serais très désireux d'apporter à un groupe de dimension internationale ma connaissance de la réglementation en France et à l'étranger. L'esprit d'équipe que j'ai développé au cours de mes activités extraprofessionnelles sera un atout supplémentaire pour assurer le rôle de conseil auprès des dirigeants de vos filiales.

Je parle couramment l'anglais et serais ravi d'effectuer de nombreux déplacements à l'étranger.

Souhaitant vous convaincre de ma motivation, je reste à votre disposition pour vous rencontrer à votre convenance.

Veuillez agréer, Monsieur, l'assurance de ma meilleure considération.

Claude Vertou

PJ : CV

Anne Fantour
3, cité Cellier
71200 Le Creusot
Tél. : 03 85 32 54 89
E-mail : afantour@larousse.fr

Société Marie
Direction des ressources humaines
4, rue des Alouettes
71200 Le Creusot

Le 17 novembre 2004

Objet : candidature pour un poste de secrétariat à mi-temps
(« travailleur handicapé »)

Monsieur,

Dix ans de pratique du secrétariat au sein d'un service du personnel puis dans un secrétariat médical ont développé mon sens de la rigueur et du contact. Ces expériences successives m'ont également permis de témoigner de ma facilité d'adaptation.

Aujourd'hui, je souhaiterais mettre mes compétences au service de votre société, réputée pour son sérieux et son dynamisme.

Je vous précise que je voudrais travailler à mi-temps et que je suis officiellement reconnue en qualité de « travailleur handicapé » (luxation des hanches, station debout pénible).

Vous trouverez ci-joints mon CV et la photocopie de ma carte d'invalidité. Je reste à votre disposition pour vous rencontrer.

Vous remerciant de l'attention que vous voudrez bien accorder à ma candidature, je vous prie d'agréer, Monsieur, l'expression de ma considération distinguée.

Anne Fantour

PJ : CV et photocopie de la carte d'invalidité

David Alexander
c/o Fabrice Renot
10, avenue d'Italie
75013 Paris
Tél. : 01 44 25 85 22
E-mail : david.alexander@larousse.fr

Info-Temps
5, rue de Vienne
69000 Lyon

Paris, le 25 juin 2003

À l'attention du Directeur des ressources humaines

Monsieur,

L'annonce par la presse de la création d'un département multimédia au sein de votre société a retenu toute mon attention et m'incite à vous présenter ma candidature.

De nationalité américaine, mais de langue maternelle française, doté d'une formation à la fois informatique et historique, je suis depuis trois ans chef de projet au sein du groupe Rommer, deuxième éditeur américain de CD-ROM.

J'ai toujours été passionné par les ouvrages historiques d'Info-Temps, dont le renom est grand des deux côtés de l'Atlantique. C'est pourquoi je serais très motivé pour rejoindre votre équipe et vous aider à relever le défi consistant à développer les nouveaux médias éditoriaux.

Vous pouvez me joindre à l'adresse ci-dessus durant tout le mois de juillet. Je me tiens à votre disposition pour vous fournir de vive voix toutes les informations complémentaires et venir vous rencontrer à votre convenance.

Veuillez agréer, Monsieur, l'expression de mes salutations distinguées.

David Alexander

PJ : CV

■ RECOMMANDATION

Cher Monsieur,

Comme convenu lors de notre conversation téléphonique de ce jour, je vous adresse mon curriculum vitæ afin que vous puissiez parler de moi à votre ami Pierre Granet.

Le 15 octobre dernier, j'ai adressé une lettre de candidature spontanée au directeur des ressources humaines de l'entreprise *[à Madame Reseni, responsable des stages...]*, mais elle est malheureusement restée à ce jour sans réponse. Je vous en joins la photocopie.

Vous savez à quel point j'aimerais travailler dans cette entreprise à la pointe de la recherche pétrolière *[j'aimerais faire un stage dans cette chaîne hôtelière internationale réputée pour son organisation...]*.

En vous remerciant à l'avance de l'aide que vous pourrez m'apporter, je vous prie de croire, Cher Monsieur, à l'expression de mes salutations distinguées *[à mon très amical souvenir]*.

PJ : CV et photocopie de la lettre de candidature *[de demande de stage]*

Mon Cher Patrick,

Un ancien camarade de l'École hôtelière, François Tarnot, est venu m'exposer son problème, et j'ai pensé que tu pourrais accepter de le recevoir.

Depuis 1994, année où il a quitté le groupe Bacbel, il a géré un petit restaurant dans la région lyonnaise, le Régal, à Vienne. Et il y a très bien réussi.

Mais récemment le propriétaire a vendu à un homme d'affaires japonais avec qui François Tarnot n'a pu s'entendre. Ils avaient malheureusement une conception trop différente de l'organisation et de la gestion d'un restaurant.

Aujourd'hui, il cherche à reprendre la gérance d'un café-bar ou d'un restaurant. Et, le connaissant, je sais que ceux qui lui feront confiance ne seront pas déçus.

Peux-tu lui accorder un entretien ?

Je t'adresse ci-joint son curriculum vitæ afin que tu puisses te faire une première idée de ses compétences professionnelles.

Merci d'avance de ce que tu pourras faire pour l'aider. Et crois à mon meilleur souvenir.

PJ : CV de François Tarnot

MODÈLE **REMERCIEMENTS POUR UNE RECOMMANDATION**

Cher Monsieur,

Je vous remercie beaucoup de votre intervention auprès de M. Castet. Grâce à vous, nous avons eu un entretien très cordial.

Il m'a dit que, pour le moment, il n'avait pas de postes disponibles, sauf en Espagne (or je ne parle pas espagnol). Mais il m'a affirmé qu'il était très intéressé par ma candidature et qu'il me rappellerait dès que possible.

[Il doit bientôt renforcer ses équipes du fait de plusieurs départs en retraite. Ma candidature semble l'avoir beaucoup intéressé. Nous devons nous revoir le mois prochain.]

En vous remerciant encore de l'aide que vous m'avez si gentiment et si efficacement apportée, je vous prie de croire, Cher Monsieur, à ma respectueuse considération *[à l'expression de mes salutations distinguées].*

Relations du travail

■ CERTIFICAT DE TRAVAIL

MODÈLE **CERTIFICAT DE TRAVAIL**

Je soussigné*[e]*, M. *[Mme]* Dominique Trémois, demeurant 12, avenue du Général-Leclerc, à Paris (75014), certifie avoir employé Mlle Isabelle Dupin, demeurant 14, rue d'Urselles, à Paris (75017), immatriculée à la Sécurité sociale sous le n° 2 75 03 73 113 107, du 1er juin 1999 au 31 juillet 2002 en qualité d'aide familiale.

[Elle a toujours fait preuve d'efficacité et d'une grande gentillesse avec les enfants.]

Fait à Paris, le 31 juillet 2002.

[signature]

MODÈLE **DEMANDE DE CERTIFICAT DE TRAVAIL**
OU D'ATTESTATION D'EMPLOI

Monsieur,

Au moment de mon départ de votre société, on ne m'a pas délivré de certificat de travail. Puis-je venir le chercher au plus vite, ou auriez-vous l'amabilité de me l'envoyer en recommandé avec avis de réception ?

Je vous rappelle que j'ai été employé chez vous en tant que vendeur *[manutentionnaire, comptable...]* du 1er juin 2002 au 31 décembre 2003.

[Pouvez-vous avoir l'amabilité de me fournir une attestation d'emploi, en précisant la date de mon arrivée dans votre société ainsi que ma qualification, ma rémunération...]

En vous remerciant de bien vouloir me répondre rapidement, je vous prie d'agréer, Monsieur, mes salutations distinguées.

■ HORAIRES ET CONDITIONS DE TRAVAIL

DEMANDE DE MODIFICATION DES HORAIRES DE TRAVAIL

Monsieur *[le Directeur]*,

Occupant un poste de secrétaire au service de marketing, je travaille actuellement de 8 heures à 17 heures.

Les transports en commun étant rares à ces heures, je suis obligée de me faire accompagner en voiture par mon mari. Or, il ne pourra plus le faire à partir du 1er juillet, date à laquelle il doit changer de lieu de travail. *[Mais mon ami, qui s'occupait en mon absence de nos enfants, ne pourra plus le faire à dater du 1er juillet, à la suite d'une mutation, ou Mais, contrainte de déménager à 25 km de l'entreprise, je ne pourrai plus m'y rendre à ces heures-là par les transports en commun...]*

Me serait-il donc possible de modifier mes horaires pour travailler plutôt de 9 heures à 18 heures ?

Vous remerciant de votre compréhension, je vous prie d'agréer, Monsieur *[le Directeur]*, l'expression de mes salutations distinguées.

DEMANDE D'AMÉLIORATION DES CONDITIONS DE TRAVAIL

Madame *[la Directrice]*,

Tous les membres du personnel *[du service comptabilité...]* m'ont chargé*[e]* de vous présenter une demande portant sur l'amélioration des conditions de travail.

Nous souhaiterions en effet vivement, si vous n'y voyez pas d'inconvénient, que la petite pièce-débarras située au rez-de-chaussée soit aménagée en cafétéria. Il suffirait d'enlever les quelques cartons qui l'encombrent et d'installer deux distributeurs de boissons, chaudes et froides, ainsi qu'un four à micro-ondes. Une table et huit chaises permettraient de se restaurer rapidement ou de prendre cinq minutes de pause en milieu de matinée *[d'après-midi]* autour d'une boisson.

Cela nous permettrait de déjeuner plus tranquillement, pour moins cher, et de profiter plus agréablement de nos pauses. Nous n'en serions que plus efficaces dans notre travail.

Nous espérons que vous voudrez bien prêter attention à notre demande et vous prions d'agréer, Madame *[la Directrice]*, l'assurance de notre considération distinguée.

■ SALAIRE

MODÈLE **DEMANDE D'AUGMENTATION DE SALAIRE**

Monsieur *[le Directeur]*,

Lors de mon embauche, en tant que rédacteur*[trice]* technique, le 1er octobre 2002, vous m'aviez laissé espérer une augmentation de salaire au bout d'un an.

Durant cette année, j'ai rédigé une cinquantaine de notices techniques pour des ensembles à microprocesseurs (7800, 7801, 7802, 640 B, 641 B, 987 LC...). M. Terrenoire, mon chef de service, s'en est montré très satisfait et a recueilli à leur propos des échos tout à fait favorables de la part des utilisateurs. Il vient d'ailleurs de me confier la responsabilité de créer une brochure complète pour la documentation des distributeurs.

C'est pourquoi je vous serais reconnaissant*[e]* de bien vouloir réexaminer le montant de mon salaire.

Restant à votre disposition pour un éventuel entretien, je vous prie d'agréer, Monsieur *[le Directeur]*, l'expression de ma considération la meilleure.

Monsieur *[le Directeur]*,

En lisant attentivement mon bulletin de paie du mois de juin, je m'aperçois qu'il comporte une *[plusieurs]* erreur*[s]* :

– ma qualification n'est pas ... comme vous l'avez indiqué, mais ...[– *mes cotisations de retraite ne se montent pas à ... comme indiqué, mais à ...].*

En conséquence, je vous demande donc de bien vouloir rectifier cette *[ces]* erreur*[s]* et de me remettre un nouveau bulletin de paie dans les meilleurs délais.

Veuillez agréer, Monsieur *[le Directeur]*, l'expression de mes salutations distinguées.

Madame *[la Directrice]*,

À la lecture de mon bulletin de paie du mois de juin, je m'aperçois que vous avez oublié d'ajouter à mon salaire le paiement de mes heures supplémentaires.

En effet, durant cette période, j'ai travaillé tous les samedis de 9 heures à 12 heures. *[En effet, du lundi 3 au vendredi 7 juin, j'ai travaillé tous les soirs jusqu'à 20 heures...]*

Je vous prie donc de bien vouloir refaire ma fiche de paie en tenant compte de ces douze heures supplémentaires et de me les régler au tarif réglementaire, soit ... euros.

Veuillez agréer, Madame *[la Directrice]*, l'expression de mes salutations distinguées.

AR

CONTRAT À DURÉE DÉTERMINÉE

MODÈLE **DEMANDE DE NON-RENOUVELLEMENT D'UN CDD**

Monsieur *[le Directeur]*,

Le contrat à durée déterminée que j'ai signé le 30 juin dernier prévoyait la possibilité d'un renouvellement.

Je vous informe que je ne souhaite pas renouveler ce contrat, et ce pour des raisons personnelles *[parce que j'ai trouvé un autre emploi, à durée indéterminée...]*.

J'arrêterai donc de travailler le 30 décembre, à la fin du premier contrat. *[Vous voudrez bien me verser alors l'indemnité compensatrice de congés payés.]*

Veuillez agréer, Monsieur *[le Directeur]*, l'expression de mes salutations distinguées.

MODÈLE **DÉMISSION EN COURS DE CDD POUR UN CDI**

Monsieur *[le Directeur]*,

Employé en contrat à durée déterminée depuis le 3 mai 2004 dans votre société, je vous présente ma démission du poste d'administrateur réseau.

J'ai en effet trouvé un emploi à durée indéterminée. Vous trouverez ci-joint une photocopie du contrat de travail.

J'arrêterai donc de travailler le 30 septembre, à la fin des deux semaines de préavis prévues par la loi.

Veuillez agréer, Monsieur *[le Directeur]*, l'expression de ma considération distinguée.

PJ : photocopie du contrat de travail

■ DÉCLARATION DE MATERNITÉ

MODÈLE DÉCLARATION DE MATERNITÉ À L'EMPLOYEUR

Madame *[la Directrice]*,

Je vous informe que j'attends un enfant qui devrait naître vers le 10 mai. Vous trouverez ci-joint le certificat médical de grossesse.

Mon congé de maternité devrait donc commencer le ... et se terminer au plus tôt le ... .

[Je demande également à bénéficier des dispositions de la convention collective qui prévoient des aménagements des horaires de travail...]

Veuillez agréer, Madame *[la Directrice]*, l'expression de mes sentiments distingués.

PJ : certificat médical de grossesse

■ CONGÉS POUR MOTIFS PERSONNELS

MODÈLE DEMANDE DE CONGÉ D'ADOPTION

Monsieur,

Le service départemental d'aide sociale à l'enfance doit nous confier une petite fille en vue de son adoption.

Je vous prie donc de bien vouloir m'accorder le congé d'adoption prévu par la loi. *[Ma femme ayant renoncé à son droit, je vous prie de bien vouloir m'accorder...]* L'enfant arrivera dans notre foyer le 2 mai prochain, je serai donc absente *[absent]* du ... au ... .

Vous trouverez ci-jointe une attestation du placement de l'enfant dans notre foyer en vue de son adoption.

Veuillez agréer, Monsieur, l'expression de mes salutations distinguées.

PJ : attestation de placement en vue d'adoption

MODÈLE	**DEMANDE DE CONGÉ PARENTAL D'ÉDUCATION**
	(AVEC RÉSILIATION DU CONTRAT DE TRAVAIL)

Monsieur le Directeur,

Désireux*[se]* de m'occuper personnellement de ma fille née *[adoptée]* le 15 avril dernier, je souhaite bénéficier du congé parental d'éducation prévu par la loi.

Étant salarié*[e]* dans votre entreprise depuis moins d'un an, je vous demande donc de bien vouloir résilier mon contrat de travail *[dès la fin de mon congé de maternité, ou dès la fin de mon congé d'adoption, soit]* à partir du 12 mai, sans que j'aie à respecter le délai de préavis.

Vous trouverez ci-joint un extrait d'acte de naissance de mon enfant *[l'attestation de placement de l'enfant dans notre foyer]*.

Veuillez agréer, Monsieur le Directeur, l'assurance de ma considération distinguée.

PJ : extrait d'acte de naissance *[attestation de placement en vue d'adoption]*

AR – 60 j

MODÈLE	**DEMANDE DE CONGÉ PARENTAL D'ÉDUCATION**
	(AVEC SUSPENSION DU CONTRAT DE TRAVAIL)

Madame *[la Directrice]*,

Actuellement en congé de maternité *[d'adoption]*, je souhaite bénéficier dès la fin de celui-ci, soit le 12 mai prochain, d'un congé parental d'éducation d'un an, ainsi que le prévoit la loi.

[Désireux de m'occuper personnellement de l'éducation de mon enfant, je souhaite bénéficier à partir du 12 mai prochain d'un congé parental d'éducation d'un an comme le prévoit la loi.]

Espérant votre accord, je vous prie d'agréer, Madame *[la Directrice]*, l'expression de mes salutations distinguées.

PJ : extrait d'acte de naissance *[attestation de placement en vue d'adoption]*

AR – 30 j

DEMANDE DE CONGÉ PARENTAL
D'ÉDUCATION À TEMPS PARTIEL

Monsieur *[le Directeur]*,

Actuellement en congé de maternité *[d'adoption]*, je souhaite bénéficier dès la fin de celui-ci, soit le 12 mai prochain, d'une réduction de mes horaires de travail, ainsi que le prévoit la loi.

[Désireux de m'occuper personnellement de l'éducation de notre enfant, je souhaite bénéficier à partir du 30 juin prochain d'une réduction de mes horaires de travail, ainsi que le prévoit la loi.]

Je désirerais ne travailler que 20 heures par semaine pendant un an, de préférence le matin *[Je souhaiterais ne pas travailler le mercredi, ou J'aimerais avoir un horaire continu pour pouvoir partir tous les soirs à 17 heures pour reprendre mon bébé chez la nourrice…]*.

J'espère que vous n'y verrez pas d'inconvénient, mais je suis à votre disposition pour en discuter avec vous.

Je vous prie d'agréer, Monsieur *[le Directeur]*, l'expression de mes salutations distinguées.

PJ : extrait d'acte de naissance *[attestation de placement en vue d'adoption]*

AR – 30 j

DEMANDE DE PROLONGATION
DE CONGÉ PARENTAL D'ÉDUCATION

Monsieur *[le Directeur]*,

Le congé parental d'éducation dont je bénéficie depuis le 12 mai 2003 doit prendre fin dans un mois, le 11 mai 2004.

Désireuse *[Désireux]* de continuer à m'occuper de mon *[mes]* enfant*[s]*, j'ai l'intention de renouveler ce congé pour un an. *[Mais je souhaite revenir travailler à temps partiel, soit trois jours par semaine, ou Mais je souhaite prendre ce congé à temps complet et ne plus travailler à temps partiel…]*

Restant à votre disposition pour un éventuel entretien, je vous prie d'agréer, Monsieur *[le Directeur]*, l'expression de mes salutations distinguées.

AR – 30 j

MODÈLE | **DEMANDE DE CONGÉ DE FORMATION**

Monsieur *[le Directeur]*,

Je serais très désireux*[se]* de suivre une formation aux techniques de vente à l'exportation *[une formation pour l'obtention du diplôme d'études comptables et financières...]* à l'Institut d'administration des entreprises de Nice *[au Centre d'études comptables de Bruxelles...]*.

Je pense que cette formation, qui améliorera mes compétences, sera également profitable à l'entreprise.

Je vous serais donc reconnaissant*[e]* de bien vouloir m'accorder un congé individuel de formation, ainsi que le prévoit la loi.

Les cours débuteront le 15 septembre et dureront jusqu'au 30 juin. Ils ont lieu de 9 heures à 11 heures. *[Le stage à plein temps débutera le 1ᵉʳ janvier et durera jusqu'au 30 juin.]*

Espérant vivement une réponse positive de votre part, je vous prie d'agréer, Monsieur *[le Directeur]*, l'expression de mes salutations distinguées.

AR — 120 j

MODÈLE | **DEMANDE DE CONGÉ POUR CRÉATION D'ENTREPRISE**

Madame *[la Directrice]*,

Vous serait-il possible de m'accorder un congé légal d'un an pour la création d'entreprise, et ce à compter du 30 juillet prochain ?

J'ai en effet l'intention de créer *[reprendre]* une société de portage de repas à domicile *[de fabrication de fleurs artificielles...]*.

Je reste à votre disposition pour vous fournir des informations complémentaires ou envisager avec vous un report de la date de départ en congé si vous le jugiez préférable pour l'entreprise.

Dans l'attente de votre réponse, je vous prie d'agréer, Madame *[la Directrice]*, l'expression de ma considération distinguée.

AR — 60 j

MODÈLE **DEMANDE DE PROLONGATION**
DE CONGÉ POUR CRÉATION D'ENTREPRISE

Madame *[la Directrice]*,

Je suis depuis le 30 juillet dernier en congé afin de créer *[reprendre]* une société de portage de repas à domicile *[de fabrication de fleurs artificielles...]*.

Les perspectives semblent intéressantes, mais l'entreprise connaît encore des difficultés de développement. Il me faut donc un certain temps avant de pouvoir m'assurer de sa rentabilité. *[Les premiers résultats semblent prometteurs et je viens de signer plusieurs contrats qui me laissent espérer que l'entreprise pourra se développer comme je le souhaite. Mais, étant donné le contexte économique, la situation reste encore très fragile.]*

C'est pourquoi je vous serais reconnaissant*[e]* de bien vouloir m'accorder une prolongation de congé d'une année.

Veuillez agréer, Madame *[la Directrice]*, l'expression de mes salutations distinguées.

AR – **90 j**

MODÈLE **DEMANDE DE RUPTURE DU CONTRAT DE TRAVAIL**
À LA FIN DU CONGÉ POUR CRÉATION D'ENTREPRISE

Madame *[la Directrice]*,

Je suis depuis le 30 juillet dernier en congé afin de créer *[reprendre]* une société de portage de repas à domicile *[de fabrication de fleurs artificielles...]*.

Cette entreprise connaît désormais une expansion suffisante pour que je décide de m'y consacrer définitivement.

Je vous informe donc de mon intention de rompre mon contrat de travail. Vous voudrez bien, en conséquence, me délivrer un certificat de travail et me verser les sommes qui me seraient éventuellement dues.

Veuillez agréer, Madame *[la Directrice]*, l'expression de ma considération distinguée *[l'expression de mon meilleur souvenir]*.

AR – **90 j**

MODÈLE **DEMANDE DE CONGÉ SABBATIQUE**

Monsieur *[le Directeur]*,

[Pour convenances personnelles] Désireux de réaliser un ouvrage photographique sur le flamenco *[de tourner un long métrage en Afrique, d'entreprendre la rénovation de la maison que j'ai achetée dans le Var]*, je souhaiterais que vous m'accordiez un congé sabbatique d'une durée de six mois, du 1er septembre 2002 au 1er mars 2003.

Je reste à votre disposition pour vous fournir tous renseignements complémentaires *[pour envisager avec vous une autre période pour ce congé si vous le jugiez préférable pour l'entreprise]*.

Dans l'attente de votre réponse, je vous prie d'agréer, Monsieur *[le Directeur]*, l'expression de mes salutations distinguées.

[AR] — **[90 j]**

■ MUTATION

MODÈLE **DEMANDE DE MUTATION ADRESSÉE À L'EMPLOYEUR PAR LE SALARIÉ**

Monsieur *[le Directeur]*,

Pour des raisons de promotion personnelle *[Par suite d'une restructuration d'entreprise...]*, mon mari *[ma femme]* a été muté*[e]* à Toulouse.

Pour que nos enfants puissent terminer l'année dans la même école, nous avons décidé que je resterai avec eux jusqu'à la fin du troisième trimestre à Limoges.

À cette date, je souhaiterais vivement être mutée moi aussi à Toulouse, afin que nous puissions retrouver une vie de famille normale.

Je vous serais très reconnaissante de bien vouloir examiner avec compréhension ma demande.

Veuillez agréer, Monsieur *[le Directeur]*, l'expression de ma considération distinguée.

Monsieur *[le Directeur]*,

Suite à notre entretien du 12 mai dernier, je vous confirme, après réflexion, que je refuse d'être muté à Guéret.

En effet, ma femme occupe actuellement à Toulouse un poste de chercheur dans la société ..., qu'elle ne veut pas quitter, d'autant plus qu'elle ne trouverait pas d'emploi similaire à Guéret.

[Je sais que mon refus peut vous autoriser à rompre mon contrat de travail, mais j'espère que vous reviendrez sur votre décision, car vous connaissez mon attachement à votre société.]

Veuillez agréer, Monsieur *[le Directeur]*, l'expression de mes salutations distinguées.

■ PROMOTION

Madame *[la Directrice]*,

Standardiste à la direction de l'Île-de-France, je viens de bénéficier d'un congé individuel de formation qui m'a permis d'obtenir un BTS de secrétariat de direction.

C'est pourquoi je me permets de poser ma candidature pour le poste de secrétaire de la directrice des ressources humaines, lequel est, je crois, actuellement à pourvoir. *[C'est pourquoi je souhaiterais être affectée à un poste de secrétaire de direction lorsqu'il y en aura un à pourvoir...]*

Je vous remercie de bien vouloir considérer ma demande avec attention et reste à votre disposition pour un éventuel entretien.

Veuillez agréer, Madame *[la Directrice]*, l'expression de mes sentiments respectueux.

■ DÉMISSION

MODÈLE **LETTRE OFFICIELLE DE DÉMISSION D'UN EMPLOYÉ**

Monsieur le Directeur,

Employée dans votre société depuis le 1er juin 1995,
je vous présente ma démission du poste de secrétaire du
service des relations publiques *[du poste de magasinier au dépôt de ...]*.

Mon préavis étant de deux mois *[trois mois...]*, je vous informe
que je quitterai donc l'entreprise le 30 décembre prochain.

D'ici là, je m'absenterai, si nécessaire, chaque jour pendant
2 heures, comme le prévoit la convention collective, afin de
rechercher un nouvel emploi.

Veuillez agréer, Monsieur le Directeur, l'assurance de ma
considération distinguée.

AR

MODÈLE **RETRAIT DE DÉMISSION**

Monsieur le Directeur,

Lorsque vous m'avez convoqué dans votre bureau ce matin
[hier...], vous m'avez menacé de licenciement pour faute
professionnelle grave.

Devant mes protestations, vous m'avez suggéré de donner ma
démission, moyennant quoi vous accepteriez de me régler mon
préavis et de me verser une indemnité.

Vous ne m'avez alors laissé ni le temps de la réflexion ni la
possibilité de me faire assister pour ma défense.

En conséquence, je rétracte la démission que j'ai signée sous
la pression et la tiens pour nulle.

Considérant que je fais toujours partie de la société, je viendrai
travailler demain comme d'habitude.

Veuillez agréer, Monsieur le Directeur, l'expression de mes
salutations distinguées.

AR

Madame *[la Directrice]*,

Employée dans votre société depuis le 1ᵉʳ juin 1997, je vous présente ma démission du poste de standardiste au siège de l'entreprise.

La durée de mon préavis est théoriquement de un mois *[de deux mois...]*, mais je souhaiterais vivement que vous me dispensiez d'effectuer ce préavis. En effet, on me propose, à Strasbourg *[, ville où a été muté mon mari]*, un poste à pourvoir immédiatement.

Vous remerciant de votre compréhension, je vous prie d'agréer, Madame *[la Directrice]*, l'assurance de ma considération distinguée.

Monsieur *[le Directeur]*,

Employée dans votre société depuis le 1ᵉʳ juin 1998, je vous ai présenté ma démission *[j'ai été licenciée]* du poste de chef de produit le 30 mai dernier.

La durée de mon préavis est théoriquement de deux mois *[trois mois...]*. Or, le nouvel emploi que j'ai trouvé *[le stage de formation professionnelle que je voudrais suivre pour me perfectionner en informatique, ou la mutation de mon mari à l'étranger...]* nécessiterait que je sois disponible le 1ᵉʳ juillet *[le plus tôt possible...]*.

C'est pourquoi je vous demande l'autorisation d'écourter mon préavis *[de cumuler les deux heures quotidiennes légalement prévues pour la recherche d'un emploi afin de raccourcir la durée de mon préavis...]*.

Vous remerciant de votre compréhension, je vous prie d'agréer, Monsieur *[le Directeur]*, l'assurance de ma considération distinguée.

INSPECTION DU TRAVAIL, CONSEIL DE PRUD'HOMMES

MODÈLE | **DEMANDE D'INTERVENTION DE L'INSPECTION DU TRAVAIL POUR OBLIGER L'EMPLOYEUR À APPLIQUER LA RÉGLEMENTATION**

Monsieur l'Inspecteur,

Pourriez-vous avoir l'amabilité d'intervenir auprès de mon employeur afin de le contraindre à appliquer la réglementation ?

L'entreprise CAROUT, 85, rue Hoche, à Versailles (78), dans laquelle je travaille en tant que dessinateur industriel depuis dix ans, refuse de me réintégrer après un congé parental d'éducation d'un an *[refuse de m'accorder un congé pour création d'entreprise, ou ne m'a toujours pas réglé mes heures supplémentaires effectuées au mois de mai malgré la lettre recommandée que je lui ai adressée le 15 juin, ou me déduit de mon salaire des frais de cantine alors que je déjeune à l'extérieur...]*.

Vous trouverez ci-jointes les pièces justificatives *[les photocopies de la lettre que j'ai adressée à mon employeur et de sa réponse...]*.

Dans l'espoir d'une réponse favorable, je reste à votre disposition pour vous fournir tout renseignement complémentaire et vous remercie de l'aide que je voudrez bien m'apporter.

Veuillez agréer, Monsieur l'Inspecteur, l'assurance de ma considération distinguée.

PJ : pièces justificatives *[photocopies de la lettre adressée à l'employeur et sa réponse.]*

AR

Monsieur l'Inspecteur,

Mon employeur, M. Salernes, directeur général de la société CACOR, 25, rue de l'Arbre-Sec, à Colombes (92), m'a convoqué*[e]* ce matin pour m'annoncer mon licenciement immédiat. Il a prétendu que je m'étais absenté*[e]* de mon poste de surveillance entre 9 heures et 10 heures, posant ainsi un grave problème pour la sécurité. C'est totalement faux et un de mes collègues pourra en témoigner !

Auriez-vous l'amabilité de téléphoner, rapidement, à M. Salernes (tél. : 01 47 60 87 95, poste 25) pour lui demander de bien vouloir me laisser reprendre mon poste ?

Vous remerciant à l'avance de votre intervention, je vous prie d'agréer, Monsieur l'Inspecteur, l'assurance de ma considération distinguée.

Monsieur,

Pouvez-vous m'aider à faire valoir mes droits auprès de la SA ETABOIS, où je travaille depuis trois ans comme menuisier et qui vient de m'annoncer mon licenciement par lettre recommandée ?

En effet, l'employeur ne m'a pas convoqué à un entretien préalable, comme il aurait dû le faire. *[En effet, l'employeur n'a même pas indiqué dans sa lettre les motifs du licenciement.]*

Je souhaiterais savoir si je peux l'obliger à me réintégrer dans l'entreprise ou si je peux lui réclamer des dommages et intérêts pour licenciement abusif ? Quelles sont les démarches à entreprendre ?

Vous remerciant à l'avance de votre aide, je vous prie d'agréer, Monsieur, l'expression de mes salutations distinguées.

PJ : photocopie de la lettre de licenciement

MODÈLE | **PLAINTE POUR HARCÈLEMENT SEXUEL**

Monsieur le Procureur,

Je soussignée Vanina Terrenoire, née le 14 mai 1970, à Issoire (63), de nationalité française, demeurant à Clermont-Ferrand (63), 12, rue des Puys, porte plainte contre M. André Alésia, demeurant à Clermont-Ferrand (63), 6, rue de l'Allier, pour harcèlement sexuel dans le cadre de mon travail au magasin DAMPIERRE, où je suis vendeuse et où il est chef de département.

Lors de mon arrivée dans son département, le 1er février dernier, M. Alésia s'est montré particulièrement attentionné avec moi. Puis il a commencé à me faire des compliments sur ma manière de m'habiller, n'hésitant pas à me toucher sous prétexte de tâter le tissu de mes vêtements.

Depuis un mois, il m'a convoquée à plusieurs reprises dans son bureau sous des motifs professionnels, mais en réalité pour me faire des propositions de plus en plus pressantes. Exaspéré par mes refus, il m'a même menacée de me faire renvoyer pour faute professionnelle si je ne cédais pas à ses avances.

Ne pouvant supporter plus longtemps un tel chantage, je porte plainte pour harcèlement sexuel contre M. André Alésia.

Vous trouverez ci-joints le témoignage écrit de deux de mes collègues qui ont pu constater les faits ainsi que la photocopie de mon contrat de travail.

Vous remerciant de bien vouloir donner suite à cette affaire, je vous prie d'agréer, Monsieur le Procureur, l'assurance de ma respectueuse considération.

PJ : témoignages et photocopie du contrat de travail

■ LICENCIEMENT

CONVOCATION À UN ENTRETIEN PRÉALABLE À UN LICENCIEMENT POUR FAUTE GRAVE

Madame,

J'envisage de vous licencier de votre poste de garde-malade pour faute grave. En effet, hier, 31 octobre, vous deviez passer la nuit auprès de mon père mais vous vous êtes absentée de 22 heures à minuit. Quand mon père a voulu se lever, il n'y avait personne pour l'aider, si bien qu'il est tombé. Il a été obligé de se traîner jusqu'au téléphone pour m'appeler à son secours.

Conformément à la convention collective, je vous convoque à un entretien préalable le 3 novembre à 19 heures chez mon père.

Veuillez agréer, Madame, mes salutations distinguées.

LETTRE DE LICENCIEMENT POUR FAUTE GRAVE

Madame,

Lors de notre entretien du 3 novembre, vous avez reconnu avoir laissé seul mon père entre 22 heures et minuit dans la nuit du 31 octobre au 1ᵉʳ novembre. Quand celui-ci a cherché à se lever, il est tombé et s'est fait d'importants hématomes. S'il n'avait pas pu se traîner jusqu'au téléphone pour m'appeler, personne ne serait venu à son secours.

Avoir ainsi abandonné un vieillard handicapé dont vous aviez la charge est pour une garde-malade une faute grave. C'est pourquoi je vous notifie votre licenciement immédiat et préviens ce jour même l'association dont vous dépendez.

Vous n'effectuerez aucun préavis et ne toucherez aucune indemnité. Je tiens à votre disposition votre solde de tout compte et votre certificat de travail.

Veuillez agréer, Madame, mes salutations distinguées.

MODÈLE **DEMANDE D'EXPLICATION SUR LES MOTIFS D'UN LICENCIEMENT**

Monsieur le Directeur,

Vous m'avez envoyé le 14 janvier une lettre recommandée me notifiant mon licenciement.

Or, les raisons que vous avez invoquées pour justifier cette mesure lors de l'entretien préalable du 18 mai ne m'ont pas convaincu[e].

Je vous prie donc de bien vouloir me préciser par écrit les motifs réels de mon licenciement.

Dans l'attente de votre réponse, je vous prie d'agréer, Monsieur le Directeur, l'expression de mes salutations distinguées.

MODÈLE **ANNULATION D'UN LICENCIEMENT POUR RAISON DE GROSSESSE**

Monsieur *[le Directeur]*,

J'ai bien reçu votre lettre de licenciement pour insuffisance professionnelle. *[Comme je vous l'ai dit lors de l'entretien préalable, je conteste les motifs que vous invoquez et je suis étonnée que vous ayez attendu si longtemps pour me faire ces reproches.]*

Mais, de toute façon, il ne vous est pas possible de me licencier actuellement, car je suis enceinte, ainsi que l'atteste le certificat médical de grossesse ci-joint.

Je vous prie donc de bien vouloir annuler mon licenciement.

Veuillez agréer, Monsieur *[le Directeur]*, l'expression de mes salutations distinguées.

PJ : certificat médical de grossesse

■ REÇU POUR SOLDE DE TOUT COMPTE

SOLDE DE TOUT COMPTE

Je soussigné, Francis Ferret, demeurant 15, rue Blanche, à Périgueux (24), reconnais avoir reçu ce jour de la société UPLER, 23, rue des Colombes, à Périgueux (24) *[de Mme Réginot, 12, avenue Delcassé, à Périgueux (24)...]*, pour solde de tout compte la somme de 1 220 euros en espèces *[par chèque n° 28420 A sur la Banque périgourdine de crédit...]* en paiement de tous les salaires et indemnités qui m'étaient dus en fonction de mon contrat de travail.

Cette somme correspond à :
– solde du salaire dû : ... euros ;
– congés payés : ... euros.

Le présent reçu pour solde de tout compte a été établi en double exemplaire, dont l'un m'a été remis.

Fait à Périgueux, le 15 octobre 2002.

[signature du salarié, précédée de la mention manuscrite : « bon pour solde de tout compte »]

CONTESTATION DU REÇU POUR SOLDE DE TOUT COMPTE

Monsieur le Directeur,

Après vérification, je conteste le reçu pour solde de tout compte que vous m'avez remis et que j'ai signé en votre présence le 15 octobre 2002.

D'après mes calculs, il comporte une *[plusieurs]* erreur*[s]* :
– vous n'avez pas tenu compte des heures supplémentaires que j'ai effectuées du ... au ... .
[– vous avez oublié le remboursement de mes frais de déplacement ;
– vous n'avez pas tenu compte des jours de congés payés non pris ;

– vous ne m'avez pas réglé l'indemnité compensatrice pour clause de non-concurrence prévue par la convention collective, etc.]

Vous voudrez bien me verser le complément que vous me devez dans les plus brefs délais *[sans quoi je me verrai contraint(e) de porter l'affaire devant le conseil de prud'hommes].*

Dans l'attente de votre réponse, je vous prie d'agréer, Monsieur le Directeur, l'expression de mes salutations distinguées.

 AR – **60 j**

■ RÉINTÉGRATION, RÉEMBAUCHAGE

MODÈLE **DEMANDE DE RÉINTÉGRATION APRÈS UN CONGÉ PARENTAL D'ÉDUCATION**

Madame *[la Directrice],*

Le congé parental d'éducation d'un an dont je bénéficie depuis le lundi 13 mai 2002 doit prendre fin dans un mois, soit le lundi 12 mai 2003.

Pourriez-vous comme convenu me réintégrer dans l'entreprise à compter de cette date à un poste de secrétaire, fonction que j'occupais précédemment ?

[La réduction de temps de travail dont je bénéficie depuis un an à la suite de la naissance de mon enfant doit prendre fin le 12 mai prochain. Je demande donc à retravailler à temps complet à partir de cette date.]

Restant à votre disposition pour un éventuel entretien, je vous prie d'agréer, Madame *[la Directrice],* l'expression de mes sentiments distingués.

AR – **30 j**

Monsieur *[le Directeur]*,

Je suis depuis le 6 mai 2002 en congé parental d'éducation d'un an, lequel doit s'achever le 9 mai 2003.

Malheureusement, mon mari a perdu son emploi le 2 août et nous connaissons actuellement des difficultés financières. Vous trouverez ci-jointe une copie du récépissé de sa demande d'emploi.

Je vous demande donc de bien vouloir me réintégrer dans votre entreprise à un poste de ... *[de bien vouloir m'accorder la modification de mon congé parental à temps complet en congé à temps partiel à raison de 30 heures par semaine]*.

Restant à votre disposition pour un éventuel entretien, je vous prie d'agréer, Monsieur *[le Directeur]*, l'expression de mes salutations respectueuses.

PJ : copie du récépissé de demande d'emploi

Monsieur *[le Directeur]*,

Mon congé pour création d'entreprise doit prendre fin dans trois mois, soit le 30 juin prochain.

La société de portage de repas à domicile que j'ai créée a connu des débuts intéressants, mais elle a très vite souffert de la concurrence d'entreprises disposant de moyens financiers beaucoup plus importants. Cette expérience, même si elle n'a pas abouti comme je l'espérais, m'a toutefois beaucoup appris.

Je vous demande donc de bien vouloir me réintégrer à mon poste de ... ou à un emploi similaire, ainsi que le prévoit la loi.

Veuillez agréer, Monsieur *[le Directeur]*, l'expression de mes salutations distinguées.

MODÈLE **DEMANDE DE RÉEMBAUCHAGE EN PRIORITÉ**
À LA FIN DU CONGÉ PARENTAL D'ÉDUCATION

Monsieur *[le Directeur]*,

Le congé parental d'éducation dont je bénéficie se termine le 12 mai prochain.

Conformément à la loi, je demande à être réembauché*[e]* dans votre entreprise, en priorité, à un poste de comptable *[manutentionnaire, secrétaire...]*, avec les mêmes avantages qu'au moment de mon départ en congé.

Je sais que vous avez créé une succursale dans la banlieue nord et je serais tout à fait disposé*[e]* à y travailler si cela vous convenait.

Je reste à votre disposition pour vous rencontrer quand vous le désirerez.

Veuillez agréer, Monsieur *[le Directeur]*, l'expression de mes salutations respectueuses.

AR – **30 j**

MODÈLE **DEMANDE DE RÉEMBAUCHAGE EN PRIORITÉ**
APRÈS UN LICENCIEMENT POUR MOTIF ÉCONOMIQUE

Monsieur le Directeur,

Par lettre recommandée en date du ..., vous m'avez licencié*[e]* pour motif économique. Vous m'avez aussi rappelé que je bénéficiais d'une priorité de réembauchage dans l'entreprise pendant un an après la fin de mon préavis.

Je vous informe donc de mon intention de profiter de cette priorité et vous demande de me prévenir si le poste se trouvait de nouveau à pourvoir.

[Je vous signale également que je dois suivre un stage de formation à l'informatique à partir de la semaine prochaine, ce qui devrait me permettre d'acquérir une nouvelle qualification. Dès que j'en aurai la certitude, je vous en ferai part afin que vous puissiez en tenir compte pour m'offrir un nouveau poste.]

Veuillez agréer, Monsieur le Directeur, l'expression de mes salutations distinguées.

AR

197

Vie pratique

Logement, propriété

■ CONSTRUCTION, RÉNOVATION

MODÈLE **DEMANDE D'IMPRIMÉS POUR LE DOSSIER DE PERMIS DE CONSTRUIRE**

Monsieur le Maire,

Étant propriétaire d'un terrain constructible, cadastré C214, situé sur votre commune *[dans votre ville]*, je souhaiterais y construire une maison.

Pouvez-vous avoir l'amabilité de m'adresser les imprimés nécessaires à la constitution du dossier de permis de construire ?

Avec mes remerciements, je vous prie d'agréer, Monsieur le Maire, l'expression de ma haute considération.

MODÈLE **DEMANDE D'IMPRIMÉ DE DÉCLARATION DE CONSTRUCTION**

Monsieur le Maire,

J'ai l'intention de construire un garage *[appentis, poulailler...]* de moins de 20 m² sur mon terrain, cadastré B36, situé dans votre ville *[sur votre commune]*.

Pouvez-vous avoir l'amabilité de me faire parvenir un imprimé de déclaration de construction ?

Avec mes remerciements, je vous prie d'agréer, Monsieur le Maire, l'expression de ma haute considération.

MODÈLE **DEMANDE DE DEVIS À UN ENTREPRENEUR**

Monsieur,

Mes amis M. et Mme Tessier m'ayant recommandé vos services – j'ai d'ailleurs pu moi-même apprécier la qualité de votre travail lors de la visite de leur maison –, j'aimerais que vous m'établissiez un devis pour l'installation d'une salle de bains dans mon appartement, 5, rue de Jeanne d'Arc à Strasbourg.

Vous trouverez ci-dessous un descriptif du projet qui vous permettra de l'étudier et de m'apporter éventuellement les documentations utiles.

Vous pouvez me téléphoner à mon bureau dans la journée (01 45 60 12 12) ou le soir à partir de 18 h 30 à mon domicile (01 30 52 89 27), afin que nous prenions rendez-vous.

Dans l'attente de vous rencontrer, je vous prie d'agréer, Monsieur, l'expression de ma considération distinguée.

Projet de salle de bains
Surface aménageable : 1,60 m x 3,40 m.
Équipement désiré : baignoire sabot avec pare-douche,
lavabo encastré dans un meuble de toilette.
Carrelage : au sol et sur les murs jusqu'à une hauteur de 1,60 m,
de préférence blanc, ou dans les tons roses avec une frise.

MODÈLE **RAPPEL À UN ENTREPRENEUR POUR RETARD D'EXÉCUTION DES TRAVAUX**

Monsieur,

Malgré mes relances téléphoniques, vous n'avez toujours pas commencé les travaux de toiture pour lesquels je vous ai versé un acompte de 1 525 euros, le 5 mai dernier. À ce jour, vos ouvriers ne sont venus *[vous n'êtes venu]* qu'une fois, le 20 mai, pour apporter les matériaux. Et nous sommes le 12 juin ! Je m'en inquiète vivement et vous rappelle que vous vous êtes engagé par écrit à achever ces travaux au plus tard le 25 juin.

Je vous demande donc d'envoyer vos ouvriers *[de venir]* au plus vite afin de respecter votre engagement *[sans quoi je me verrai contraint(e) de vous demander des dommages et intérêts...].*

Veuillez agréer, Monsieur, l'expression de ma considération distinguée.

MODÈLE **CONTESTATION D'UNE FACTURE COMPORTANT UNE RÉVISION DE PRIX NON PRÉVUE**

Monsieur,

J'ai bien reçu votre facture datée du 6 novembre dernier. Mais je m'étonne qu'elle ne soit pas conforme au devis que j'avais accepté. Je vous rappelle que nos accords, signés le 18 avril 2002, prévoyaient un prix ferme et non révisable ainsi que l'exécution des travaux dans les six mois.

Je ne suis en rien responsable de l'allongement de la durée des travaux. Je vous avais déjà fait part de mon inquiétude à ce sujet par lettre recommandée, le 15 septembre dernier, et vous n'avez pas jugé bon de me répondre. *[Ce retard, qui m'a empêché d'emménager à la date prévue, m'a même causé de sérieux problèmes, pour lesquels je pourrais vous demander des dommages et intérêts...]*

Il est donc hors de question que j'accepte une révision de prix. En conséquence, je vous demande de refaire votre facture dans le strict respect de nos accords.

Veuillez agréer, Monsieur, mes salutations distinguées.

MODÈLE **RÉCLAMATION POUR DES DÉGÂTS COMMIS PAR DES OUVRIERS**

Monsieur,

Vos ouvriers ont bien terminé les travaux de mon pavillon dans les délais prévus. Et j'en suis dans l'ensemble tout à fait satisfait. Toutefois, je leur ai fait remarquer avant leur départ qu'ils avaient commis des dégâts : ils ont cassé un plafonnier et fait sur la moquette de l'entrée des taches impossibles à enlever. Je leur avais demandé de vous en avertir, mais je ne suis pas certain qu'ils l'aient fait.

Pouvez-vous venir constater ces dommages et me les rembourser ou les déduire de la facture avant que je vous la règle ?

Dans l'attente de votre visite, je vous prie d'agréer, Monsieur, l'expression de ma considération distinguée.

Monsieur,

J'ai bien reçu votre facture du 10 mai, conforme à votre devis. Mais je vous avais signalé par lettre, le 16 mars, les dégâts que vos ouvriers avaient causés lors des travaux dans mon pavillon, afin que vous puissiez m'indemniser. Et je m'étonne que, deux mois après réception de ma lettre, vous ne m'ayez toujours pas répondu à ce sujet.

Vous trouverez donc ci-joint un chèque de 2 207 euros en règlement de votre facture 88 001, déduction faite des frais de réparation des dommages commis par vos employés : 213 euros pour le remplacement de la moquette de l'entrée, tachée par le peintre et non nettoyable, et 100 euros pour le remplacement du plafonnier cassé par l'électricien. Je joins également les factures justificatives et le double de ma lettre du 16 mars.

Veuillez agréer, Monsieur, l'expression de ma considération distinguée.

PJ : chèque, factures justificatives et photocopie de la lettre

Monsieur,

Vous avez achevé la couverture de ma maison *[la construction de mon garage...]* le 19 novembre 2002. Or, une fuite s'est produite juste en bordure du Velux de la chambre *[une fissure est apparue sur le mur du fond...]*.

Il s'agit là apparemment d'une malfaçon dont vous êtes responsable et qui est couverte par la garantie légale *[décennale]*, puisque les travaux sont achevés depuis trois ans seulement.

Je vous prie donc de bien vouloir venir constater ce défaut et d'y remédier dans les plus brefs délais.

Dans cette attente, je vous prie de croire, Monsieur, à l'assurance de mes salutations distinguées.

■ VENTE, ACHAT

MODÈLE **PETITES ANNONCES D'OFFRES DE LOCATION**

5 km Namur.
Petite maison meublée style rustique, 60 m^2 sur deux niveaux.
Chauffage gaz. Cave, garage, possibilité jardin.
230 €/mois, charges comprises. Activité professionnelle possible.
Tél. : 00 32 53 74 85 97.

Proche Mitry-Claye (77).
Particulier à particulier. 25 min gare du Nord SNCF, RER, bus.
Toutes commodités. Bon quartier, calme. 2 jeunes gens
recherchent colocataire pour partager 4 pièces, 80 m^2. 3 chambres
individuelles. Parties communes : séjour, salle de bains, cuisine, W.-C.
260 €/mois + 30 € provision charges.
Libre à partir du 15/05.
Tél. bureau : 01 40 68 79 98 ou 01 40 23 56 54 le soir.

MODÈLE **PETITES ANNONCES DE DEMANDES DE LOCATION**

Professeur de lycée
rech. 3 p. Toulouse centre, loyer max. 400 € charges comprises.
Tél. : 03 85 97 45 66 (rép.).

Couple salarié, sérieuses références,
recherche F3 ou F4 dans Lyon ou limitrophe. Minimum 70 m^2,
2 chambres, parking si possible, chauffage gaz ou collectif.
Proximité transports en commun.
Tél. bureau : 05 65 24 03 04 de 8 h 30 à 17 h, Mme Durand.

2 jeunes filles cherchent 3 pièces (2 chambres + séjour),
60-70 m^2, Paris 18e, 19e, 20e/St-Ouen. 670 € charges comprises.
Parents garants. Tél. : 01 42 58 54 13 après 20 h.

La rédaction d'une annonce

Précisez s'il s'agit d'un appartement ou d'une maison, ainsi que le lieu, la situation, l'étage, la superficie, le nombre de pièces, l'état du logement.

N'oubliez pas de dire que vous êtes un particulier (pour bien montrer que l'annonceur n'est pas une agence).

Indiquez s'il y a un ascenseur, un parking ou un jardin (donnez sa superficie) et, si vous le désirez, le prix.

Mentionnez les balcons, terrasses, cheminées, cave, grenier, la proximité des écoles, des commerces ou d'une gare.

Enfin, une jolie photo peut séduire les acheteurs et permet de mieux comprendre le descriptif.

MODÈLE   **PETITES ANNONCES DE VENTE DE LOGEMENT**

Laon (02).

Urgent cause décès. Ville basse, maison 4 pièces, 110 m^2.

Proche commerces, écoles, bus.

R-de-C. : entrée, séjour avec cheminée, cuisine, W.-C., garage.

Au 1er : 2 chambres, salle de bains, débarras.

Au 2e : grenier aménagé en grande chambre.

Sous-sol : cave et pièce. Chauffage gaz. Petit jardin arboré.

68 600 €. Tél. : 03 23 54 78 89 après 19 h.

Dijon (21).

Centre-ville, place Darcy.

3 pièces dans petit immeuble au 3e sans ascenseur.

Séjour clair avec cuisinette,

2 chambres, 3 grands placards, salle de bains refaite à neuf, W.-C., chauffage individuel électrique. Cave, garage.

Tél. : 03 80 78 96 54 (rép.).

MODÈLE **PETITES ANNONCES D'ACHAT DE LOGEMENT**

Caen (14).
Urgent cause mutation, cherche maison ou
appartement 4 pièces. Parking. Travaux acceptés si prix en rapport.
Tél. : 02 48 85 32 21 entre 18 h et 20 h sf week-end.

Achète maison isolée,
environ 100 m² habitables dans bois ou forêt, proche rivière.
Cave ou sous-sol. 80 km de Besançon maximum.
Envoyer photos et prix.
Écrire au journal qui transmettra. Réf. 125 4392.

MODÈLE **PETITE ANNONCE DE VENTE DE TERRAIN**

20 km Roye (80).
Lieu-dit Mont-Aime. Terrain 3 000 m² viabilisé, constructible, clos.
Sommet de colline. Proximité village. 9 150 €.
Tél. : 03 22 54 89 60.

MODÈLE **PETITE ANNONCE D'ACHAT DE TERRAIN**

Couple avec enfants en bas âge cherche terrain à bâtir dans le 93.
De 500 à 1 500 m². Tél. : 01 47 87 97 58 toute la journée.

MODÈLE **PETITE ANNONCE D'ÉCHANGE ENTRE PROPRIÉTAIRES**

Chelle (65).
Maison 85 m². Rez-de-chaussée : grand séjour, cuisine, débarras.
À l'étage : 2 chambres, salle de bains.
Contre maison ou appartement équivalent
proche Sophia-Antipolis (Nice).
Tél. : 05 45 58 97 65.

Villers-en-Ouche (61).
Viager libre ou occupé 1 tête 74 ans.
Maison centre bourg. 5 pièces + grenier + garage + cave.
Cheminée, insert. Jardin : 150 m².
Bouquet 12 200 € + 180 € rente mensuelle.
Tél. : 02 33 58 96 78 le soir.

St-Flovier (37).
Sud Touraine. Viager occupé 2 têtes 73 et 80 ans.
4 pièces dans petit immeuble confort, 100 m².
Près tous commerces.
Conditions à débattre. Tél. : 02 47 98 54 68.

Madame, Monsieur,

Intéressé[e] par votre annonce parue dans le *Journal des occasions* du 15 mars dernier sous la référence 110/FTO 6325, j'aimerais que vous me donniez des précisions sur le studio à louer, à partir du 15 décembre prochain, rue de la Belle-Arrivée, à Rivière-du-Loup.

– Quelle est son orientation ? Est-il calme ?
– Est-il proche de la gare, des commerces ?
– À quel étage se trouve-t-il ?
– Y a-t-il un ascenseur ?
– Comment est-il chauffé ?
– Peut-on disposer d'une cave, d'un parking et dans quelles conditions ?

Dans l'attente de votre réponse, croyez, Madame, Monsieur, à ma considération distinguée.

FAC-SIMILÉ RECHERCHE DE LOGEMENT

Antoine Dupuis
5, avenue Mermoz
69000 Lyon

Monsieur *[Maître]* Packard
5, rue des Amandiers
48000 Mende

Lyon, le 14 juin 2003

Monsieur *[Maître]*,

Mon ami Patrick Dupont *[La chambre des notaires...]* m'a indiqué votre adresse, car je cherche à acheter une maison dans votre région, où je suis muté en tant que cadre de la société Bacout *[où je souhaite prendre ma retraite...]*.

Il faudrait que la maison ait une surface habitable d'une centaine de mètres carrés, avec au moins deux chambres *[qu'elle soit entourée si possible d'un petit jardin...]*, et qu'elle soit située de préférence en ville ou entre 2 et 3 kilomètres alentour. *[L'important est que la maison soit proche d'un arrêt de bus ou de car]*. Il faut aussi qu'elle soit en bon état pour que je puisse m'installer rapidement avec ma famille. *[L'important est que la construction soit saine, peu m'importe l'état intérieur : je suis prêt à entreprendre des travaux de rénovation...]*

Je suis disposé à payer jusqu'à 91 450 euros, frais d'achat compris.

Avez-vous des offres correspondant à mes besoins et à mes moyens ? *[Si vous entendez parler d'une maison correspondant à mes souhaits, pouvez-vous me le faire savoir ?]*

Dans l'attente de votre réponse, je vous prie d'agréer, Monsieur *[Maître]*, l'expression de ma considération distinguée.

[signature]

Madame,

Disposant d'une chambre au cœur du Quartier latin, je cherche à la louer à un*[e]* étudiant*[e]* offrant des garanties de sérieux. Cette chambre se trouve rue Saint-Jacques, au 6e étage sans ascenseur. Elle est équipée d'une douche-cabine, d'un coin-cuisine, du chauffage individuel au gaz. Les W.-C. sont sur le palier. Elle est meublée d'un lit, d'une table, de deux chaises et d'une armoire. J'en demande 190 € par mois, charges comprises.

Pour la visiter, on peut me joindre au 01 45 98 75 02, tous les jours après 18 heures.

Dans l'attente de votre réponse, je vous prie d'agréer, Madame, l'expression de ma considération distinguée.

Monsieur,

J'ai signé le 20 septembre 2004 un contrat de réservation de l'appartement référencé B25 dans l'immeuble situé 22, rue du Général-Leclerc, à Limoges (87).

Mais, en lisant le projet de contrat définitif que vient de m'envoyer le notaire, je remarque qu'il ne respecte pas les engagements du contrat préliminaire : le prix de vente a été révisé à la hausse de plus de 5 % *[la salle de bains a été remplacée par une simple douche, une fenêtre a été supprimée dans le séjour...].*

Dans ces conditions, je préfère annuler ma réservation. Et je vous demande de me rembourser intégralement mon dépôt de garantie.

Veuillez agréer, Monsieur, l'expression de ma parfaite considération.

MODÈLE **RÉSILIATION D'UN CONTRAT DE PROMESSE DE VENTE PAR SUITE DE REFUS DE PRÊT**

Monsieur,

Le prêt que j'avais demandé pour l'achat de l'appartement *[du terrain...]* situé 8, allée des Pies, à Arcueil (94), vient de m'être refusé (vous trouverez ci-jointe la photocopie de la lettre de refus de prêt).

Comme le prévoit la loi, je me vois dans l'obligation d'annuler le contrat de promesse de vente. Vous voudrez bien me rembourser l'intégralité de l'acompte, versé le 3 mai, d'ici quinze jours *[sachant que, passé ce délai, vous me devriez en outre les intérêts légaux]*.

Vous en remerciant, je vous prie d'agréer, Monsieur, l'expression de mes salutations distinguées.

PJ : photocopie de la lettre de refus de prêt

◼ COPROPRIÉTÉ

MODÈLE **DEMANDE DE CONVOCATION D'UNE ASSEMBLÉE GÉNÉRALE DES COPROPRIÉTAIRES**

Monsieur,

Nous soussignés, Mme Lise Porte, M. Luc Esef, M. et Mme Jean Pot, copropriétaires de l'immeuble situé 7, rue de Paris, à Évry (91), réunissant plus du quart des voix de l'ensemble des copropriétaires (4 800 tantièmes/10 000), demandons la convocation d'une assemblée générale qui aura pour ordre du jour :
– travaux à entreprendre d'urgence sur la toiture ;
– pose d'une antenne collective.

En vous remerciant de faire le nécessaire, nous vous prions d'agréer, Monsieur, nos salutations distinguées.

Mme Porte	M. Esef	M. et Mme Pot
[signature]	*[signature]*	*[signatures]*

Monsieur,

Nous avons l'intention d'entreprendre des travaux de rénovation dans notre appartement du 12, place du Marché, à Bruxelles (2ᵉ étage gauche) : nous souhaiterions faire changer les fenêtres et poser des volets. Comme il s'agit là de travaux sur les parties communes, je vous prie de bien vouloir inscrire les questions suivantes à l'ordre du jour de la prochaine assemblée de copropriétaires :

– demande d'autorisation par Mᵐᵉ Dufour de remplacer ses châssis de fenêtres en bois par des châssis métalliques ;
– demande d'autorisation par Mᵐᵉ Dufour de poser des volets métalliques.

Avec mes remerciements, je vous prie de recevoir, Monsieur, mes salutations distinguées.

AR

Je soussigné, Yvan Robert, délègue par la présente lettre le pouvoir de voter et de prendre toute décision en mes lieu et place lors de l'assemblée générale des copropriétaires de l'immeuble situé 58, rue Diderot, à Pau (64), qui se tiendra le 22 novembre 2003, à M. [Mᵐᵉ] Claude Durand.

Fait à Pau, le 19 novembre 2003.

MODÈLE | **LETTRE D'ACCOMPAGNEMENT D'UNE DÉLÉGATION DE POUVOIR**

Chère Madame,

Étant en déplacement professionnel toute la semaine prochaine, je ne pourrai pas assister à l'assemblée générale des copropriétaires du mardi 18 novembre. Auriez-vous l'amabilité d'accepter mon pouvoir pour cette assemblée ?

Bien sûr, je me range d'avance à votre avis pour toute question qui donnerait lieu à vote.

Veuillez agréer, Chère Madame, l'expression de mon meilleur souvenir.

◼ LOCATION

MODÈLE | **CONFIRMATION D'UN ACCORD DE LOCATION**
ET DEMANDE D'ÉTABLISSEMENT D'UN BAIL

Monsieur,

Je vous confirme que l'appartement que j'ai visité hier à 17 h 30 avec vous, situé 25, rue Albertine (2ᵉ étage gauche) à Versailles, me convient parfaitement.

J'ai bien noté qu'il comportait une cave et un parking, que son loyer était de 535 euros par mois, charges comprises *[charges non comprises...]*, et qu'il doit se trouver libre le 1ᵉʳ mars prochain.

Je souhaite donc que vous m'établissiez un bail de location aux conditions habituelles à compter du 1ᵉʳ mars.

Pour faire l'état des lieux, je préférerais prendre rendez-vous un samedi ou le soir après 19 heures. Vous pouvez me joindre à mon travail de 8 h 30 à 18 h 30 au 01 40 52 26 27, poste 44, ou le soir à mon domicile au 01 34 51 40 25.

Veuillez agréer, Monsieur, mes salutations distinguées.

Monsieur,

Locataire depuis le 11 octobre dernier de votre appartement situé 12, avenue Vauban, à Douarnenez, je viens de constater les défauts suivants que je n'avais pas pu remarquer lorsque nous avons fait ensemble l'état des lieux, car je ne m'en suis aperçu qu'à l'usage. En effet, un des radiateurs de la salle de séjour et un de ceux de la chambre principale ne fonctionnent pas *[le lavabo de la salle de bains est mal scellé...]*.

Je vous demande donc d'ajouter ces réserves dans l'état des lieux et de faire procéder aux réparations nécessaires. Si vous voulez venir constater vous-même ces dysfonctionnements, nous pouvons prendre rendez-vous le soir après 18 heures ou le samedi.

Veuillez agréer, Monsieur, l'assurance de ma considération distinguée.

[AR]

Madame,

Veuillez trouver ci-joint un chèque de 915 euros en règlement de mon loyer et de mes charges du mois de septembre.

Vous voudrez bien m'adresser dorénavant chaque mois la quittance détaillée indiquant le montant du loyer, du droit au bail et des charges.

Je vous prie également de m'envoyer le plus rapidement possible les quittances de toutes les sommes que je vous ai déjà versées jusqu'à ce jour, soit du 1er mai 2002 au 1er août 2002.

Vous en remerciant d'avance, je vous prie d'agréer, Madame, l'assurance de mes salutations distinguées.

PJ : chèque

MODÈLE | **DEMANDE D'UN DÉLAI POUR LE PAIEMENT DU LOYER**

Monsieur,

Vous avez pu constater que je vous réglais toujours très régulièrement mon loyer le 20 du mois.

Or, j'ai actuellement de graves difficultés financières qui m'empêchent de vous payer comme d'habitude à la date prévue. J'ai en effet été victime d'un accident de voiture. Je n'ai été que légèrement blessé[e], mais il m'a fallu avancer une somme importante pour la réparation de ma voiture et l'assurance ne me remboursera qu'au début du mois prochain.

Auriez-vous la gentillesse d'accepter, exceptionnellement, que je vous règle mon loyer de juin avec celui de juillet, soit le 20 juillet au lieu du 20 juin ?

En vous remerciant de votre compréhension, je vous prie d'agréer, Monsieur, l'expression de mes salutations distinguées.

MODÈLE | **ACCORD DU PROPRIÉTAIRE POUR UN DÉLAI DE PAIEMENT**

Madame,

Votre lettre me demandant un report de loyer vient de me parvenir. Il est vrai que vous m'avez toujours payé très régulièrement. Aussi, j'accepte volontiers de vous accorder ce délai de paiement.

Je compte donc que vous me réglerez deux mois à la prochaine échéance. Mais vous comprendrez qu'il s'agit là d'une mesure exceptionnelle.

Je vous adresse tous mes vœux de prompt rétablissement.

Croyez, Madame, à mes salutations distinguées.

Madame

J'ai bien reçu votre demande de report de loyer. Mais je regrette vivement de ne pouvoir y consentir, car je traverse moi-même des difficultés financières *[cette somme m'est indispensable pour payer chaque mois la pension de mon fils...]*.

Vous voudrez donc bien me régler le mois de juin à la date habituelle.

Je vous adresse tous mes vœux de rapide rétablissement et vous prie de croire, Madame, à l'assurance de ma considération.

Madame,

J'ai bien reçu le 25 avril votre chèque correspondant au montant du loyer de mai. Mais nous sommes maintenant le 15 juillet et je n'ai toujours pas reçu votre versement pour le mois de juin. J'espère qu'il s'agit là d'un simple oubli, que vous voudrez bien réparer au plus vite.

Dans l'attente de votre règlement, je vous prie d'agréer, Madame, l'expression de mes salutations distinguées.

Monsieur,

Malgré mes relances successives, vous ne m'avez toujours pas réglé les loyers des mois de février, mars, avril 2002.

Je vous mets donc en demeure de me verser sous huit jours la somme de 2 745 euros en paiement des loyers et charges échus.

Sinon, je me verrais contraint d'entamer une procédure judiciaire et demanderai la résiliation du bail pour non-paiement de loyer.

Veuillez agréer, Monsieur, l'expression de mes salutations distinguées.

MODÈLE **EXCUSES POUR UN RETARD DE PAIEMENT DE LOYER**

Madame,

Dès que j'ai reçu votre lettre de rappel de loyer, j'ai vérifié mes comptes et je me suis aperçu que j'avais oublié de vous envoyer le chèque correspondant au loyer de juin. Je vous l'adresse ci-joint.

Je vous prie de m'excuser pour ce retard de paiement, qui, je l'espère, ne vous aura pas trop gênée.

Veuillez agréer, Madame, l'expression de mes salutations distinguées.

PJ : chèque

MODÈLE **CONTESTATION D'UNE HAUSSE DE LOYER
LORS DU RENOUVELLEMENT DU BAIL**

Madame,

Vous m'avez adressé le 13 septembre, par courrier recommandé, une proposition d'augmentation de loyer pour le renouvellement de mon contrat de location.

Cette augmentation me paraît totalement injustifiée *[excessive...]* étant donné les loyers pratiqués dans le quartier. Ceux que vous citez en exemple concernent des logements récents, et parfaitement aménagés, alors que l'appartement que vous me louez ne dispose que d'un confort très réduit *[ne dispose même pas d'une vraie salle de bains...]*.

Je vous demande donc de revoir votre proposition pour que mon loyer n'excède pas 700 euros par mois, soit 16 euros/m^2, ce qui correspond aux loyers réellement pratiqués dans le voisinage pour des logements comparables. *[Je refuse toute augmentation vu les loyers réellement pratiqués dans le voisinage pour des logements comparables* (donnez des exemples précis des loyers pratiqués dans le voisinage dans des conditions de confort et d'agrément similaires).*]*

Veuillez agréer, Madame, l'expression de mes salutations distinguées.

VIE PRATIQUE

AR

Monsieur,

Vous me réclamez un solde de charges locatives, qui me paraît élevé, sans même m'en préciser le détail.

Avant de vous régler, je souhaiterais que vous me fassiez parvenir le décompte annuel détaillé des charges ainsi que le mode de répartition entre les locataires.

Je souhaite également consulter les factures, contrats d'entretien et autres pièces justificatives correspondant aux dépenses qui sont à ma charge. Où puis-je les consulter ?

Dans l'attente de votre réponse, veuillez agréer, Monsieur, l'expression de mes salutations distinguées.

Monsieur,

J'ai bien reçu votre demande de règlement du solde des charges locatives pour l'année 2003.

Mais, en examinant le décompte détaillé que vous m'avez adressé, je m'aperçois que vous m'avez imputé des dépenses qui ne me concernent pas.

Vous me facturez une partie des travaux de toiture *[de remplacement de canalisations...]*, qui sont à la charge du propriétaire et non du locataire.

Vous me demandez aussi de payer une partie des frais d'entretien de l'ascenseur alors que j'occupe un appartement au rez-de-chaussée et que je ne l'utilise, donc, jamais.

Je vous prie de m'envoyer un nouveau décompte des charges que je vous dois, déduction faite des sommes que je conteste.

Veuillez agréer, Monsieur, l'expression de ma considération distinguée.

MODÈLE **DEMANDE AU PROPRIÉTAIRE D'UNE AUTORISATION POUR ENTREPRENDRE DES TRAVAUX**

Madame,

Le pavillon que vous me louez ne disposant pas de toilettes au 1er étage *[de baignoire dans la salle d'eau...]*, je souhaiterais en installer en supprimant un placard du couloir.

Pouvez-vous m'autoriser à entreprendre, à mes frais, ces travaux qui amélioreront nettement le confort de la maison *[mettront votre logement aux normes]* ?

Vous trouverez ci-joints le descriptif des travaux et le plan.

Dans l'attente de votre réponse, je vous prie d'agréer, Madame, mes salutations distinguées.

PJ : descriptif des travaux et plan

MODÈLE **DEMANDE AU PROPRIÉTAIRE D'EFFECTUER D'URGENCE DES RÉPARATIONS À SA CHARGE**

Madame,

Des ardoises étant tombées à la suite des fortes tempêtes de ces jours derniers, il pleut dans la chambre située sous le toit. *[La chaudière étant en panne et non réparable, nous sommes privés de chauffage depuis huit jours...]*

C'est pourquoi je vous demande d'envoyer de toute urgence votre couvreur *[chauffagiste...]* pour qu'il répare la toiture *[remplace la chaudière...]*.

Vous remerciant d'intervenir le plus rapidement possible, je vous prie d'agréer, Madame, mes salutations distinguées.

Madame,

Par ma lettre du 7 décembre dernier, je vous informais de la nécessité d'envoyer d'urgence votre couvreur *[chauffagiste...]* pour remplacer les ardoises tombées du toit *[la chaudière hors d'usage...]*.

Depuis lors, et malgré mes relances téléphoniques, vous n'avez toujours pas fait commencer les travaux.

Je vous rappelle que la pluie tombe dans ma chambre située sous le toit. Je suis donc obligé d'aller coucher dans le séjour. *[Je vous rappelle que nous sommes totalement privés de chauffage. Nous devons donc vivre en manteau toute la journée...]*

Je vous prie de faire effectuer cette réparation dans les huit jours. *[Faute de quoi je vous attaquerai en justice et vous demanderai des dommages et intérêts.]*

Veuillez agréer, Madame, mes salutations distinguées.

Monsieur,

Locataire de votre appartement situé 12, rue Saint-Louis, au 2ᵉ étage droite, à La Rochelle, je souhaite résilier mon contrat de location signé le 1ᵉʳ février 2000 *[car j'ai été muté à Épinal, ou car j'ai perdu mon emploi et ne peux plus payer le loyer...]*. Je vous donne donc congé pour le 9 octobre, soit dans trois mois *[un mois...]*.

Je suis à votre disposition pour faire avec vous l'état des lieux, sachant que mon déménagement est prévu pour le 3 octobre.

Veuillez agréer, Monsieur, mes salutations distinguées.

MODÈLE   **CONTESTATION DE CONGÉ DONNÉ PAR LE PROPRIÉTAIRE**

Monsieur,

Vous m'avez adressé le 10 avril un congé me demandant de libérer l'appartement que vous me louez, 9, impasse du Large, à Roscoff, pour le 5 mai.

Ce congé n'est pas valable car il ne m'est pas parvenu dans les délais prévus par la loi *[car il ne m'est pas parvenu dans les délais prévus par mon contrat de location, ou car vous ne m'indiquez aucun motif légal pour reprendre votre logement...]*. Je considère donc qu'il est sans effet et que mon contrat sera automatiquement renouvelé à son terme.

Veuillez agréer, Monsieur, l'assurance de ma considération distinguée.

MODÈLE   **DEMANDE DE REMBOURSEMENT DU DÉPÔT DE GARANTIE**

Madame,

J'ai quitté le 6 juin dernier l'appartement que je vous louais, 8, rue des Belles-Feuilles, à Médoc (33), et je vous en ai remis les clés le 8 juin.

Cela fait plus de quatre mois et vous ne m'avez toujours pas remboursé le dépôt de garantie, dont le montant est de 600 euros.

Or, je tiens à vous rappeler que je vous ai toujours payé le loyer intégralement et vous n'avez constaté aucune dégradation à ma charge lors de l'état des lieux.

Je vous demande donc de m'envoyer dans les plus brefs délais le montant de ma caution *[majorée des intérêts au taux légal]*.

Veuillez agréer, Madame, l'assurance de ma considération distinguée.

Monsieur,

Vous m'informez par votre lettre du 28 mai que vous refusez de me rembourser le dépôt de garantie sous prétexte que cette somme doit servir à la remise en état de l'appartement que je vous louais, 5, place Royale.

Or, les travaux de peinture et le changement de la moquette que vous affirmez être nécessaires n'ont aucune raison d'être à ma charge. Lors de l'état des lieux, vous n'avez pas constaté de dégradation particulière dont je sois responsable. L'appartement a simplement subi une usure normale du fait de son occupation durant dix ans. Si vous souhaitez le rénover, c'est à vous qu'en reviennent les frais.

Je vous prie donc de me rembourser l'intégralité du dépôt de garantie dans les plus brefs délais.

Veuillez agréer, Monsieur, mes salutations distinguées.

Monsieur,

Vous m'avez adressé le 15 mai une facture d'un montant de 685 euros pour la remise en état de l'appartement du 4, rue Basse, que je vous ai loué pendant deux ans, depuis le 30 avril 2000 jusqu'au 30 avril dernier.

J'accepte de prendre à ma charge le changement de la moquette de la chambre dont les taches indélébiles ont été faites par mon fils. En revanche, je refuse absolument d'assumer la réfection du carrelage de la cuisine, car je ne suis en rien responsable de son décollement : une partie du carrelage était déjà décollée lors de mon entrée dans l'appartement (je l'avais d'ailleurs mentionné dans l'état des lieux) et le phénomène s'est aggravé entre la fin de l'année 2000 et le début de l'année 2001 (comme je vous l'ai signalé par une lettre recommandée en date du 15 janvier 2001), sans doute par suite d'un défaut de pose.

Vous voudrez donc bien me rembourser mon dépôt de garantie, déduction faite du seul montant du changement de la moquette de la chambre, soit la somme de 150 euros.

Recevez, Monsieur, mes salutations distinguées.

■ VOISINAGE

MODÈLE **AFFICHETTE POUR S'EXCUSER DE LA GÊNE OCCASIONNÉE PAR DES TRAVAUX**

Monsieur et Madame Pascal MARTOL
prient les propriétaires et les locataires de l'immeuble
de bien vouloir les excuser de la gêne occasionnée
par les travaux de rénovation qu'ils entreprennent dans leur
appartement du 4ᵉ étage droite, à partir du 5 avril,
et ce pendant un mois environ.

MODÈLE **LETTRE À UN VOISIN POUR S'EXCUSER DE LA GÊNE OCCASIONNÉE PAR DES TRAVAUX**

Monsieur,

Nouveau propriétaire du pavillon voisin du vôtre, je tiens à vous informer que nous allons procéder à des travaux de rénovation de notre maison à partir du 12 mai.

Ces travaux devraient durer un mois. Nous vous prions de bien vouloir nous excuser de la gêne qu'ils pourront vous causer et vous assurons que nous ferons notre possible pour que celle-ci soit réduite au minimum.

Espérant que nous aurons bientôt l'occasion de faire plus amplement connaissance, je vous prie d'agréer, Monsieur, l'expression de mes salutations distinguées.

Monsieur,

Je viens d'acquérir la parcelle de terrain cadastrée C12, située au milieu de votre propriété, et à laquelle on ne peut accéder qu'à pied tant le chemin est étroit.

Pouvez-vous m'accorder un droit de passage plus large afin de me permettre d'accéder chez moi en voiture *[d'accéder à mon champ avec mon tracteur...]* ?

Nous pourrions en discuter lors de mon prochain séjour, du 12 au 30 mai.

Je souhaite vivement que nous trouvions un accord satisfaisant pour l'un et pour l'autre.

Dans l'attente de votre réponse, je vous prie d'agréer, Monsieur, l'expression de ma considération distinguée.

Monsieur,

Bien que je vous aie demandé à de nombreuses reprises de ne pas passer avec votre tracteur, ni même à pied, sur le chemin qui traverse mon champ *[terrain...]* pour aller de Villeneuve à Chadeleuf, vous vous entêtez à le faire.

Même si c'est, pour vous, un raccourci, je vous rappelle que ce chemin m'appartient. Il est strictement privé.

Je vous interdis donc de l'emprunter. Si vous franchissez à nouveau la limite de mon terrain avec votre tracteur, ou à pied, je ferai appel à la justice pour vous obliger à respecter mon droit.

Recevez, Monsieur, mes salutations distinguées.

MODÈLE **PLAINTE CONCERNANT L'ÉCOULEMENT DES EAUX DE PLUIE**

Monsieur,

Je vous ai fait remarquer à plusieurs reprises *[par courrier]* que les eaux de pluie tombant sur votre toit s'écoulent sur mon terrain *[mon toit, mon garage, mon hangar...]*, et de ce fait endommagent mes plantations.

Je vous demande donc encore une fois de poser des gouttières afin que les eaux pluviales ne se déversent plus chez moi *[sans quoi je me verrai obligé de porter l'affaire devant la justice en réclamant une indemnité]*.

En espérant que vous ferez exécuter ces travaux dans les plus brefs délais, je vous prie d'agréer, Monsieur, l'assurance de ma considération distinguée.

[PJ : photocopies des précédentes lettres]

MODÈLE **DEMANDE À UN VOISIN DE COUPER UN ARBRE MENAÇANT**

Madame,

Il me semble que le grand sapin *[chêne, noyer...]* situé en bordure de votre jardin menace de tomber sur mon terrain *[sur mon toit, sur notre mur mitoyen...]*. C'est pourquoi je vous suggère de le faire abattre avant qu'il cause des dégâts.

Je vous rappelle qu'en cas d'accident provoqué par la chute de cet arbre vous serez considérée comme entièrement responsable et devrez me verser une indemnité.

Espérant que vous comprendrez qu'il s'agit là de votre intérêt comme du mien, et dans l'attente d'une réponse rapide de votre part, je vous prie d'agréer, Madame, l'expression de mes salutations distinguées.

MODÈLE **DEMANDE À UN VOISIN DE NE PAS OUVRIR DE FENÊTRE AYANT VUE CHEZ SOI**

Monsieur,

En observant les travaux que vous effectuez sur votre terrain, il me semble que vous avez l'intention d'ouvrir une fenêtre donnant sur ma façade, sans respecter les distances prévues par la loi.

Je vous prie donc de bien vouloir renoncer à cette fenêtre et de revoir votre construction afin qu'elle n'ait pas vue chez moi.

Veuillez agréer, Monsieur, l'expression de mes salutations distinguées.

MODÈLE **MISE EN DEMEURE À UN VOISIN DE SUPPRIMER UNE FENÊTRE AYANT VUE CHEZ SOI**

Monsieur,

Dans ma lettre du 3 février dernier, je vous demandais de modifier l'ouverture d'une fenêtre qui avait vue chez moi et pour laquelle les distances légales n'étaient pas respectées.

Ma demande n'ayant pas été suivie d'effet, je vous mets en demeure de supprimer sous huitaine cette fenêtre et de revoir votre construction pour vous mettre en conformité avec la loi.

Souhaitant vivement conserver avec vous des rapports de bon voisinage, j'espère que vous accepterez de modifier votre projet. Dans le cas contraire, je me verrais malheureusement contraint de porter l'affaire en justice afin de faire respecter mes droits.

Recevez, Monsieur, mes salutations distingués.

MODÈLE **PLAINTE POUR BRUITS EXCESSIFS**

Monsieur,

Je vous ai déjà demandé de vive voix à plusieurs reprises de bien vouloir baisser votre radio *[chaîne hi-fi, télévision...]*.

Vous réglez en effet le son si fort qu'il est extrêmement difficile de lire en se concentrant dans la journée ou de dormir le soir *[mon studio n'étant séparé du vôtre que par une mince paroi...]*.

Je suis actuellement en train de préparer des examens et suis très gêné [*Ma femme, sujette à la migraine, ne peut se reposer car elle est très gênée...*] par les bruits provenant de votre appartement. Je vous prie donc de mettre fin à ces nuisances sonores [*sans quoi je me verrais obligé de porter plainte...*].

J'espère [*toutefois vivement que nous n'en arriverons pas à cette extrémité et*] que ma lettre suffira à vous faire comprendre combien vous me [*nous...*] dérangez.

Croyez que je souhaite préserver des rapports de bon voisinage et veuillez agréer, Monsieur, l'expression de mes salutations distinguées.

MODÈLE **PLAINTE POUR TROUBLES CAUSÉS PAR DES ANIMAUX DOMESTIQUES**

Madame,

Votre chien vient aujourd'hui à nouveau de pénétrer dans mon jardin et il a piétiné les salades que je venais de repiquer [*il s'est introduit dans le poulailler et a tué cinq poussins, ou il a mangé toutes mes fleurs...*].

Je vous ai déjà demandé à plusieurs reprises de surveiller votre animal. Cette fois, c'en est trop. Je vous prie donc de m'indemniser pour les dégâts causés, dont le montant s'élève à 15 euros. Vous voudrez bien me faire parvenir cette somme dans les plus brefs délais pour que je puisse remplacer ces pieds de laitue [*poussins, fleurs...*].

J'espère que vous accepterez de réparer ainsi les dommages dont vous êtes responsable afin que nous puissions conserver des relations de bon voisinage, et que vous prendrez les mesures nécessaires pour que ce genre d'incident ne se reproduise pas.

Je vous prie d'agréer, Madame, l'expression de mes salutations distinguées.

■ DÉMÉNAGEMENT

CARTE IMPRIMÉE DE CHANGEMENT D'ADRESSE

Monsieur et Madame Franck LERIÈRE
et Nathalie
vous prient de bien vouloir noter
leur nouvelle adresse
à partir du 12 février prochain :

19, villa Moderne. 49000 Angers
Tél. : 02 41 79 63 00

CARTE IMPRIMÉE DE CHANGEMENT D'ADRESSE

Monsieur Patrick Bérard
10, rue Poncelet
75017 Paris

Madame, Monsieur,
Je vous informe qu'à partir du 9 novembre 2004
ma nouvelle adresse sera :
Monsieur Patrick Bérard
553, 1re Avenue
Notre-Dame-de-Montauban (Québec)
GOX 1MO
Fax : (514) 284 0395
Tél. : (514) 284 0339
Veuillez agréer, Madame, Monsieur, l'assurance
de ma considération distinguée.

À qui donner sa nouvelle adresse ?

Quand on déménage, entre les cartons à défaire, les meubles à agencer et le voisinage à découvrir, il est parfois difficile de se rappeler toutes les personnes à prévenir. Pour certains, un simple appel téléphonique sera suffisant ; pour d'autres, un courrier peut être obligatoire.

N'oubliez personne !

Voici une liste des organismes officiels de l'Administration et des personnes ou entreprises qu'il faut avertir de votre changement d'adresse :

- les services de l'électricité, du gaz, des eaux, des télécommunications ;
- votre bureau de poste (pensez à faire suivre le courrier) ;
- l'école des enfants ;
- votre employeur ;
- votre ancien propriétaire ;
- votre agent d'assurances ;
- les banques, centres de chèques postaux, caisses d'épargne et organismes de crédit ;
- les centres des impôts de l'ancien et du nouveau domicile ;
- les organismes sociaux (Sécurité sociale, caisse d'allocations familiales, caisse de retraite, caisse d'allocations chômage, etc.) ;
- la mairie et la préfecture (inscription sur les listes électorales, carte grise) ;
- la gendarmerie (livret militaire) ;
- le centre de redevance de la télévision ;
- les journaux et revues auxquels vous êtes abonné ;
- les clubs et associations dont vous faites partie ;
- les amis et relations.

Madame,

Je dois déménager le 26 juin, mais j'ai l'intention de conserver mon compte dans votre agence.

Voici donc la nouvelle adresse à faire figurer sur mes chéquiers :

> **Madame Sophie Lefort**
> **8, rue Lavoisier**
> **24001 Sarlat**

Je vous communiquerai mon nouveau numéro de téléphone dès que j'en aurai connaissance.

Avec mes remerciements, je vous prie d'agréer, Madame, l'expression de ma considération distinguée.

Madame Rosmarie Egger
7, impasse de l'Hirondelle
59000 Lille
Dossier n° A 986 27

Monsieur,

Je vous informe de mon changement de domicile à partir du 23 mai. Ma nouvelle adresse sera :

> **Madame Rosmarie Egger**
> **Faubourg du Jura, 11**
> **4059 Bâle (Suisse)**
> **Tél. : (41-61) 318 80 85**

Vous voudrez bien transmettre mon dossier à la caisse [perception, agence...] dont je dépendrai et m'indiquer son adresse.

Avec mes remerciements, je vous prie d'agréer, Monsieur, l'assurance de mes salutations distinguées.

MODÈLE **DEMANDE DE DEVIS À UNE ENTREPRISE DE DÉMÉNAGEMENT**

Monsieur,

Je dois déménager entre le 25 juin et le 10 juillet prochain de La Baule (44) à Rixensart (1330), en Belgique.

L'appartement de La Baule se trouve 50, boulevard de la Plage, au 5ᵉ étage avec ascenseur, celui de Rixensart est situé 25, rue Albertine, au 6ᵉ étage sans ascenseur (la rue est large et peu fréquentée, et il est facile de stationner devant l'immeuble).

Vous trouverez ci-jointe la liste détaillée des meubles et objets divers pour m'établir un devis.

Je suis également à votre disposition pour convenir d'un rendez-vous si vous préférez venir estimer sur place le volume du mobilier. Vous pouvez me joindre aux heures de bureau (Tél. : 00 32 2 240 95 50) ou à mon domicile (Tél. : 02 40 24 97 25).

Dans l'attente de votre réponse, je vous prie d'agréer, Monsieur, mes salutations distinguées.

PJ : liste détaillée des meubles et objets

VIE PRATIQUE

MODÈLE **DEMANDE D'INDEMNISATION AU DÉMÉNAGEUR POUR DES OBJETS ABÎMÉS OU PERDUS**

Monsieur,

Le 29 juin 2002, votre entreprise a déménagé mon mobilier de Lausanne (1003), 4, rue Fontaine, à Paris, 2, rue des Plantes (XIVᵉ).

Lors du déménagement, un lit a été cassé *[une caisse a disparu...]*. J'ai signalé ces dommages *[pertes...]* sur le bon de livraison. Je vous les confirme aujourd'hui. Vous trouverez ci-joints la liste exacte des objets abîmés *[et/ou perdus...]* ainsi qu'un devis pour leur réparation *[et/ou une évaluation de leur valeur de rachat]*.

Vous voudrez bien me régler les 686 € pour ces dommages.

Veuillez agréer, Monsieur, mes salutations distinguées.

PJ : liste des objets abîmés et devis pour les réparations

Achats, réclamations

ACHAT : ANNULATION

MODÈLE **RENONCEMENT À UN ACHAT POUR LEQUEL
ON A VERSÉ DES ARRHES**

Madame,

Le 7 novembre dernier, je vous ai commandé *[fait mettre de côté...]* un costume pour lequel je vous ai versé 90 euros d'arrhes par chèque n° 884 022 sur le Crédit du Sud.

Après réflexion, je n'ai plus l'intention d'acheter cet article. Comme cela est la règle, vous pouvez conserver les arrhes mais je ne vous dois rien d'autre.

Veuillez agréer, Madame, l'expression de mes salutations distinguées.

MODÈLE **RENONCEMENT À UN ACHAT À CRÉDIT**

Monsieur,

J'ai signé le 15 novembre 2002 un engagement d'achat à crédit d'une encyclopédie.

Après réflexion, je désire renoncer à cet achat. Vous voudrez donc bien noter que j'annule mon engagement et, en conséquence, ne pas m'expédier cet ouvrage. Je vous prie également de me rembourser la somme de 120 euros que je vous ai déjà versée.

Veuillez agréer, Monsieur, l'expression de mes salutations distinguées.

Monsieur,

Notre fils Philippe, âgé de quinze ans, a acheté chez vous, le 12 février dernier, un vélomoteur *[une chaîne hi-fi...]* sans notre autorisation.

Étant donné qu'il est mineur, nous vous demandons l'annulation de cette vente. Nous vous rapporterons donc la marchandise et viendrons récupérer la somme versée par notre fils samedi. *[Nous vous renvoyons la marchandise et vous prions de nous rembourser au plus vite la somme versée par notre fils...]*

Veuillez agréer, Monsieur, nos salutations distinguées.

ACHAT : RÉCLAMATION

Madame,

Vous ne m'avez toujours pas livré le canapé que je vous ai commandé le 6 février dernier.

Le bon de commande n° 157 910 prévoyait une livraison dans un délai de quinze jours, soit au plus tard le 21 février. Or ce délai est largement dépassé. Nous sommes aujourd'hui le 1er mars.

Je vous mets donc en demeure de me livrer mon canapé dans les huit jours. Passé ce délai, j'annulerai ma commande. *[Je vous prie d'annuler ma commande et de me rembourser sous huitaine la somme de ... euros que je vous ai versée...]*

Veuillez agréer, Madame, mes salutations distinguées.

MODÈLE **DEMANDE D'ÉCHANGE POUR UNE MARCHANDISE**
NON CONFORME À LA COMMANDE

Madame,

Suite à ma commande du 13 mai 2003 portant la référence n° 320 B 12, vous m'avez livré, le 7 juin, un canapé.

Or ce canapé ne correspond pas à celui que je vous avais commandé : il est recouvert de cuir brun et non pas de cuir beige, comme prévu.

J'étais absent lors de la livraison et c'est la gardienne qui l'a réceptionné, ce qui explique l'absence de réserve sur le bon de livraison. Je vous prie donc de venir le reprendre, à vos frais, et de me livrer dans les huit jours *[dans les plus brefs délais]* le canapé conforme à ma commande.

Veuillez agréer, Madame, mes salutations distinguées.

MODÈLE **DEMANDE DE REMBOURSEMENT POUR TROMPERIE**
SUR LA MARCHANDISE

Monsieur,

Vous m'avez vendu une table certifiée en chêne massif.

Or, en l'examinant avec attention, je me suis aperçu*[e]* qu'elle est en bois blanc, peint façon chêne.

Je vous demande donc de me rembourser la somme versée pour l'achat de ce meuble et de venir le chercher dans les huit jours. Passé ce délai *[À défaut d'accord amiable]*, je me verrais contraint*[e]* de porter plainte pour tromperie.

Veuillez agréer, Monsieur, mes salutations distinguées.

PJ : pièces justificatives *[bon de commande, facture]*

ARTICLE REÇU MAIS NON COMMANDÉ

REFUS DE PAYER UN ARTICLE REÇU MAIS NON COMMANDÉ

Monsieur,

Vous m'adressez une facture pour un service à café que j'ai effectivement reçu, mais que je n'ai jamais commandé.

Il est hors de question que je vous le règle ou que je me dérange pour vous le renvoyer. Venez le chercher vous-même si vous le désirez, en me prévenant à l'avance.

Veuillez agréer, Monsieur, mes salutations distinguées.

DEMANDE D'INDEMNITÉ À UN COMMERÇANT

DEMANDE D'INDEMNITÉ À UN TEINTURIER POUR UN VÊTEMENT ABÎMÉ

Madame,

Je vous avais donné à nettoyer la semaine dernière une chemise qui était en parfait état. Lorsque je suis venu la récupérer hier, je vous ai fait remarquer que la manche droite était déchirée.

Vous avez prétendu que cette déchirure existait avant le nettoyage. Mais c'est impossible, sinon vous l'auriez indiqué sur le ticket de dépôt. Je vous demande donc de me verser la somme de 45 euros à titre d'indemnité.

Vous trouverez ci-jointes la photocopie du ticket de dépôt de cette chemise ainsi que celle de sa facture d'achat *[de cette chemise que j'avais achetée 45 euros il y a un mois...].*

Veuillez agréer, Madame, mes salutations distinguées.

PJ : photocopies du ticket de dépôt et de la facture d'achat

MODÈLE | **DEMANDE D'INDEMNITÉ À UN RÉPARATEUR**
POUR UN ARTICLE PERDU

Monsieur,

Je vous avais donné à réparer mon fer à repasser *[une paire de bottes...]* le 6 janvier dernier. Depuis, je suis venu trois fois le *[la]* rechercher et vous ne l'avez toujours pas retrouvé*[e]*. Il est maintenant évident que vous l'avez perdu*[e]*. Je vous demande donc de me verser une indemnité de 105 euros en remplacement de ce fer *[ces bottes...]*.

Vous trouverez ci-jointes la photocopie du ticket de dépôt ainsi que celle de la facture d'achat. *[Vous trouverez ci-jointe la photocopie du ticket de dépôt de ce fer à repasser, que j'avais acheté 105 euros il y a un an...]*

Veuillez agréer, Monsieur, mes salutations distinguées.

PJ : photocopies du ticket de dépôt et de la facture d'achat

MODÈLE | **DEMANDE D'INDEMNITÉ POUR UN VÊTEMENT**
DISPARU DANS UN RESTAURANT

Madame,

Après avoir dîné dans votre restaurant le 14 avril dernier, je n'ai pas retrouvé en partant mon blouson que j'avais accroché au portemanteau, près de l'entrée. Quelqu'un avait dû le voler...

Vous êtes responsable des vêtements déposés au vestiaire, aussi je vous demande de me verser une indemnité de 140 euros en remplacement de ce vêtement.

Vous trouverez ci-jointe la photocopie de la facture d'achat de ce blouson. *[C'était un blouson de marque... que j'avais acheté 140 euros il y a six mois...]*

Je vous prie d'agréer, Madame, l'expression de mes salutations distinguées.

PJ : photocopie de la facture d'achat

Monsieur,

Lorsque je suis venue dîner dans votre restaurant le 3 mai dernier, l'un de vos serveurs a renversé de la sauce tomate sur ma robe.

Après cet incident, il a été convenu que je vous adresse la facture du teinturier. Vous en trouverez ci-jointe une photocopie, qui vous permettra de me rembourser dans les meilleurs délais. [*Malheureusement, ma robe était extrêmement fragile et le teinturier n'a pu enlever la tache, qui reste très apparente. C'est pourquoi je vous demande de bien vouloir me rembourser ce vêtement. C'était une robe de la marque ... qui valait 185 euros. Je n'ai plus la facture, mais j'ai demandé au magasin de me fournir un certificat d'achat dont vous trouverez la photocopie ci-jointe.*]

Avec mes remerciements anticipés, je vous prie d'agréer, Monsieur, l'expression de mes salutations distinguées.

PJ : photocopie de la facture du teinturier [*certificat d'achat*]

Monsieur,

Veuillez trouver ci-jointe une photocopie de la lettre que je vous ai envoyée et dans laquelle je vous demandais de me régler le plus rapidement possible les frais de teinturerie occasionnés par la maladresse d'un de vos employés. À ce jour, je n'ai reçu aucune réponse à mon courrier.

Je vous prie donc instamment de bien vouloir m'adresser le règlement de cette facture par retour du courrier.

Dans cette attente, veuillez agréer, Monsieur, l'expression de mes salutations distinguées.

PJ : photocopie de la précédente lettre

DEMANDE D'INDEMNITÉ À UN TRANSPORTEUR

MODÈLE | **DEMANDE D'INDEMNISATION POUR UN RETARD DE TRAIN**

Monsieur,

Le TGV 858 partant à 8 h 10 de Lille, le 3 juin, est arrivé à Paris avec 45 minutes de retard.

Je vous prie donc de bien vouloir m'adresser en compensation un « bon de voyage », comme vous vous y engagez par votre « contrat régularité ».

Vous trouverez ci-joint mon billet.

Veuillez agréer, Monsieur, l'expression de mes salutations distinguées.

PJ : billet

MODÈLE | **DEMANDE D'INDEMNISATION POUR DES BAGAGES ENREGISTRÉS PERDUS OU ABÎMÉS**

Monsieur,

Le 7 juillet 2002, j'ai pris le vol 749, partant de Genève à 12 h 25 pour Marseille, et j'ai fait enregistrer deux valises. À l'arrivée, l'une de ces valises manquait.

Vous voudrez donc bien m'indemniser de la perte de ce bagage et de son contenu, que j'estime à 460 euros.

Vous trouverez ci-jointes les copies du bordereau d'enregistrement et de la déclaration de perte faite dès mon arrivée. Je vous joins aussi la liste des objets qui se trouvaient dans ma valise, leur estimation et les copies des factures que j'avais conservées.

Avec mes remerciements, veuillez agréer, Monsieur, l'expression de mes salutations distinguées.

PJ : photocopies du bordereau d'enregistrement et de la déclaration de perte, de la liste des objets et des factures

Monsieur,

J'avais acheté un billet de votre compagnie et confirmé ma réservation sur le vol 425 Bruxelles-Londres, partant le 3 novembre 2003 à 11 h 15. Arrivé à l'aéroport, un représentant de votre compagnie m'a prévenu que je ne pourrais pas partir par ce vol en raison d'une surréservation de votre part. Il m'a proposé de prendre le vol suivant à 15 h 30, ce qui m'a fait perdre une partie de la journée à l'aéroport et m'a empêché d'assister aux rendez-vous que j'avais prévus l'après-midi à Londres.

Je vous demande donc de bien vouloir m'indemniser pour ce contretemps et de me rembourser le déjeuner que j'ai pris à l'aéroport en attendant l'avion suivant.

Vous trouverez ci-jointes les photocopies de mon billet et de la note de restaurant.

Veuillez agréer, Monsieur, l'expression de mes salutations distinguées.

PJ : photocopies du billet et de la note de restaurant

Automobile

■ ACHAT, VENTE : FORMALITÉS

Je soussigné*[e]*, M. *[Mᵐᵉ]* Paul*[e]* Territ, demeurant 8, rue du Lys, à Cahors (46000), certifie avoir vendu à M. Guy Faber, demeurant 2, rue du Val, à Alès (30100), ma Fiat Uno immatriculée 485 DG 46. À Cahors, le 15 juin 2003.

[signature du vendeur]

Monsieur,

Pouvez-vous avoir l'amabilité de m'adresser un certificat de non-gage pour ma Peugeot 605, immatriculée 5489 NV 80 ?

Vous trouverez ci-joint la photocopie de la carte grise.

Avec mes remerciements, je vous prie d'agréer, Monsieur, mes salutations distinguées.

PJ : photocopie de la carte grise

Monsieur le Préfet,

Je vous informe que j'ai vendu *[envoyé à la casse...]* le 30 mai 2002 la Renault R20, immatriculée 725 DNG 63, dont j'étais propriétaire. Je l'ai en effet cédée à Mᵐᵉ Anne Pernot, demeurant 12, rue des Monts, à Allay (63) *[à Kassauto, 35, rue Pascal, à Allay (63)]*.

Vous trouverez ci-jointe la photocopie de la carte grise barrée *[la carte grise de ce véhicule désormais hors d'usage]*.

Je vous prie de bien vouloir agréer, Monsieur le Préfet, l'expression de ma haute considération.

PJ : photocopie de la carte grise *[original de la carte grise]*

ACHAT, VENTE : RÉCLAMATIONS

MODÈLE **RÉCLAMATION POUR UN RETARD DE LIVRAISON**

Monsieur,

Je vous ai commandé une Opel Vectra qui devait m'être
livrée le 25 avril 2005 comme il est indiqué sur le bon de
commande n° 456 985 B du 15 mars.

Le 3 mai, vous m'avez affirmé qu'elle serait livrée avant le 10.
Aujourd'hui vous dites qu'il faut encore attendre une semaine...

Comme je vous l'ai expliqué lors de notre entretien
téléphonique, ce retard me cause de sérieux problèmes puisque
je compte sur cette voiture pour partir en vacances.

Je vous mets donc en demeure de me livrer dans les huit jours
la voiture commandée. Sinon, je considérerai notre contrat comme
rompu et vous réclamerai le remboursement de la somme déjà
versée *[ainsi que des dommages et intérêts]*.

Veuillez agréer, Monsieur, mes salutations distinguées.

MODÈLE **DEMANDE DE REMBOURSEMENT POUR TROMPERIE**

Madame,

Vous m'avez vendu le 2 mai une Peugeot 106 d'occasion,
décrite dans l'annonce comme un «véhicule en excellent état».

Or elle vient de tomber en panne et le garagiste m'affirme que
le problème d'embrayage *[de changement de vitesse...]* ne vient pas
de l'usure normale mais du fait que la voiture a été accidentée.

Je vous mets donc en demeure de me rembourser la somme
versée pour l'achat de ce véhicule et de venir le chercher sous
huitaine *[Je vous demande donc de prendre en charge les réparations,
dont vous trouverez le devis ci-joint...]*. Passé ce délai *[À défaut
d'accord amiable]*, je porterai plainte pour tromperie.

Veuillez agréer, Madame, mes salutations distinguées.

PJ : attestation *[et devis]* du garagiste

■ ASSURANCES

Pour écrire à son assureur

Pour signaler tout type de changement, vous pouvez téléphoner à votre assureur afin de l'informer au plus tôt. Pour faciliter l'entretien, munissez-vous de tous les papiers utiles (nouvelle carte grise, permis de conduire, contrat d'assurance...). Mais confirmez toujours le contenu de votre communication téléphonique par lettre recommandée avec avis de réception.

Rappelez toujours :
- *vos nom, adresse et numéro de téléphone ;*
- *la marque, le type et le numéro d'immatriculation*
de votre véhicule ;
- *le numéro de votre police d'assurance ;*
- *les références du dossier concerné ;*
- *le nom de la personne responsable de votre dossier,*
à l'aide de la formule « À l'attention de M. ou Mme... ».

François Despierres
15, rue des Lilas
92400 Courbevoie
Tél. : 01 43 84 13 22

Peugeot 106 : 725 RNH 92
Police n° 25 772 85
Votre réf. : 11 00004221/83/42

À l'attention de Mme Batre
Assurauto
25, rue Blanche
92400 Courbevoie

12 juin 2004

Madame,
...

MODÈLE **SIGNALEMENT DU CHANGEMENT D'USAGE D'UN VÉHICULE**

Monsieur,

Comme je vous l'ai signalé par téléphone ce jour, je vous confirme le changement d'usage de ma Renault Espace, immatriculée 1745 GV 69. Alors que je l'utilisais uniquement pour des déplacements privés, elle servira, à compter de demain 10 décembre, à des livraisons dans Lyon et ses environs. Cette voiture sera également conduite par les employés habituels de mon entreprise.

Je vous remercie de bien vouloir modifier mon contrat en conséquence et de m'en donner confirmation dans les meilleurs délais.

Veuillez agréer, Monsieur, l'expression de ma considération distinguée.

MODÈLE **SIGNALEMENT D'UN CONDUCTEUR OCCASIONNEL**

Madame,

Suite à notre entretien téléphonique de ce jour, je vous confirme mon intention de prêter ma voiture (Citroën AX, immatriculée 5897 BV 21) à mon neveu Jean-François Astruc, du 15 juin au 15 septembre de cette année. Je vous rappelle qu'il est âgé de 20 ans et n'a son permis que depuis 18 mois. Je vous adresse ci-jointe une photocopie de son permis de conduire.

J'ai bien noté que cela entraînera une augmentation de la franchise de 230 euros à 305 euros.

Veuillez agréer, Madame, l'expression de ma considération distinguée.

PJ : photocopie du permis de conduire

Madame,

Hier, lundi 5 mai, je me rendais vers 13 h à moto sur mon lieu de travail quand j'ai été renversé*[e]* par une voiture qui me doublait sur la droite. Le conducteur, M. Seval, 3, rue Papin, 75018 Paris, a rempli et signé avec moi un constat que vous trouverez ci-joint.

[Je me suis relevé(e) rapidement et, pensant n'avoir aucune contusion, je n'ai pas voulu, comme me le suggérait un témoin, Mme Salsa, aller me faire examiner à l'hôpital. Cependant, je constate aujourd'hui que je souffre du dos. J'ai pris un rendez-vous pour passer un examen médical jeudi prochain et vous en adresserai les conclusions immédiatement. J'émets donc des réserves sur les suites médicales de cet accident.]

S'il vous faut davantage de précisions ou s'il y a contestation, je peux demander à un témoin de donner sa version des faits. Mme Florence Salsa a vu l'accident et se propose de témoigner.

Veuillez agréer, Madame, l'expression de ma considération distinguée.

PJ : constat

Madame,

Vous avez assisté le 5 mai dernier, vers 13 h, à un accident à la hauteur du 25, rue du Puits à Montreuil (93048), et vous m'avez aimablement proposé de témoigner si cela était nécessaire.

Il serait en effet très utile que vous rédigiez un court témoignage décrivant aussi précisément que possible les circonstances de l'accident. Je vous rappelle que je conduisais une moto Honda 250 rouge et que l'autre véhicule était une Renault 19 noire.

Avec mes remerciements, je vous prie d'agréer, Madame, mes salutations distinguées.

PJ : enveloppe timbrée *[à votre adresse]*

MODÈLE **RÉDACTION DE TÉMOIGNAGE**

Je soussignée Florence Salsa, née le 4 avril 1967, demeurant 10, rue des Loges, à Montreuil (93048), certifie avoir été témoin de l'accident survenu à Mme Dutilleux à la hauteur du 25, rue du Puits, le 5 mai 2003 à 13 h, à Montreuil.

J'attendais le changement de feu pour traverser le boulevard, alors fort encombré, quand j'ai vu une Renault 19 noire tenter de doubler la file de voitures en empiétant sur la voie réservée aux autobus. Brutalement, sans doute parce qu'il avait aperçu un autobus venant en sens inverse sur cette voie, le conducteur de la Renault 19 noire s'est rabattu sur la gauche. C'est ainsi qu'il a heurté la moto Honda rouge et fait tomber son *[sa]* conducteur*[trice]*.

Fait à Montreuil, le 20 mai 2003.

MODÈLE **DÉCLARATION DE VOL DE VÉHICULE**

Monsieur,

J'ai le regret de vous informer que ma Honda Civic, immatriculée 498 DX 74, m'a été volée dans la nuit du 12 au 13 juin 2004. Elle se trouvait garée rue des Lices, presque à l'angle de la rue Clerc, à Lyon. Elle était fermée à clé.

Vous trouverez ci-jointes une copie de la plainte que j'ai déposée au commissariat de police dès le 13 juin au matin et une estimation du montant des objets volés dont j'ai établi une liste non exhaustive.

Bien entendu, si ma voiture était retrouvée, je vous en informerais aussitôt. Dans le cas contraire, je vous serais reconnaissant*[e]* de m'indemniser dès que possible.

Je vous prie d'agréer, Monsieur, l'expression de ma considération distinguée.

PJ : photocopies de la plainte et de l'estimation du montant des objets volés

AR

Madame,

Ma Renault 19, immatriculée 878 JG 80, stationnée
12, rue La Fontaine, à Amiens (80001), a eu la vitre arrière brisée
dans la nuit du 24 au 25 novembre 2002. On m'a volé mon lecteur
de CD Speedsonic D808K ainsi que cinq disques compacts.

Vous trouverez ci-jointes la photocopie de la plainte déposée
au commissariat et les factures des objets volés, correspondant à
un montant de 85 euros pour les disques compacts et de 380 euros
pour le lecteur laser. Je vous adresserai la facture du remplacement
de la vitre arrière dès que celui-ci aura été effectué.

Je vous remercie de bien vouloir me rembourser au plus vite ce
qui est garanti par mon contrat n° 456 558 12 TF, et je vous prie
d'agréer, Madame, l'expression de ma considération distinguée.

PJ : photocopies de la plainte et des factures des objets volés

Monsieur,

Par votre courrier daté du 14 mai 2002, vous me proposez une
indemnisation de 762 euros pour l'accident n° 689 368.

Cette estimation me paraît très insuffisante étant donné le
parfait état de ma voiture avant l'accident. Ma Renault Safrane,
achetée neuve le 15 avril 1998, n'avait que 45 000 kilomètres et sa
carrosserie était impeccable. Je vous demande donc de revoir cette
somme afin que je puisse me racheter une voiture équivalente.

Pour ce faire, je vous joins une attestation de mon garagiste sur
l'état de la voiture peu de temps avant l'accident, et des annonces
de ventes de véhicules d'occasion du *Journal des occasions*.

Dans l'attente de votre réponse, je vous prie d'agréer, Monsieur,
l'expression de ma considération distinguée.

PJ : attestation du garagiste et des petites annonces

■ CONTRAVENTIONS

MODÈLE | **CONTESTATION D'UNE CONTRAVENTION POUR NON-PAIEMENT**

Monsieur le Préfet,

Ce matin 12 mars 2003, j'ai laissé ma voiture en stationnement devant le 18, rue des Bosquets, à Nice, sans pouvoir mettre de ticket de parcmètre car tous les horodateurs de la rue étaient en panne.

En revenant, j'ai eu la désagréable surprise de trouver sur mon pare-brise une contravention pour « stationnement non payé ».

Je vous demande l'annulation de cette contravention en raison du non-fonctionnement de tous les appareils de paiement de la rue des Bosquets.

Je vous prie de bien vouloir agréer, Monsieur le Préfet, l'expression de ma haute considération.

PJ : contravention du 12 mars

MODÈLE | **CONTESTATION D'UNE CONTRAVENTION POUR STATIONNEMENT DEVANT UNE SORTIE DE VOITURE**

Monsieur le Préfet,

Lundi 4 octobre 2004, vers 12 h 30, j'avais garé ma voiture, immatriculée 963 GH 21, sur une place autorisée devant le 10, rue des Pénitents, à Paris XVᵉ. Quand je suis revenu[e] à 14 h, ma voiture se trouvait devant le bateau situé en face du 8 de la même rue. Sur le pare-brise j'ai trouvé une contravention pour stationnement interdit et un autocollant de demande d'enlèvement sur la fenêtre côté conducteur.

En réalité, ma voiture avait été poussée jusque-là par un autre véhicule cherchant à se garer. Vous trouverez ci-joint le témoignage de Mᵐᵉ Blancot, gérante de la boutique Rêveries située juste en face. Elle a observé la scène et m'a très gentiment prévenu[e] quand je suis revenu[e] à mon véhicule.

Je vous serais donc reconnaissant*[e]* de bien vouloir annuler cette contravention dont je ne suis pas responsable.

En vous remerciant de votre compréhension, je vous prie de bien vouloir agréer, Monsieur le Préfet, l'expression de ma haute considération.

PJ : témoignage

■ RÉPARATIONS

MODÈLE **RÉCLAMATION POUR DES RÉPARATIONS MAL FAITES**

Monsieur,

Je vous avais confié ma Fiat Panda Brio, immatriculée 485 GV 70, pour que vous répariez l'embrayage *[la boîte de vitesses...]*.

Je l'ai reprise le 7 mai 2002 après avoir réglé la facture d'un montant de 230 euros.

Or je viens de tomber à nouveau en panne lors d'un déplacement en province. Et le garagiste à qui j'ai été obligé de confier la voiture en urgence m'affirme que la réparation de l'embrayage *[la boîte de vitesses...]* a été mal faite.

Je vous demande donc de me rembourser le montant de cette seconde réparation due au fait que vous n'aviez pas bien remis le véhicule en état.

Vous trouverez ci-joints la photocopie de la facture ainsi que le constat du garagiste précisant les causes de cette nouvelle panne.

[J'espère que vous accepterez de me rembourser au plus vite cette facture, sans quoi je serais obligé(e) de porter plainte et réclamerais même des dommages et intérêts.]

Veuillez agréer, Monsieur, mes salutations distinguées.

PJ : photocopies de la facture et du constat du garagiste

Vacances, loisirs

■ DEMANDE DE DOCUMENTATION

DEMANDE DE RENSEIGNEMENTS À UN OFFICE DE TOURISME

Madame,

Désireux*[se]* de passer des vacances dans votre région, j'aimerais que vous m'adressiez une documentation sur les sites à visiter, les loisirs que l'on peut pratiquer, les fêtes et manifestations. *[Je suis particulièrement intéressé(e) par les monuments historiques, les traditions populaires, la randonnée à pied, la faune et la flore, la découverte des caves et des vins…]*

Si vous disposez de cartes touristiques de la région indiquant les sentiers de randonnée, je vous serais reconnaissant*[e]* de bien vouloir me les faire parvenir si elles sont gratuites ou de me préciser leur prix si vous les vendez.

Pouvez-vous également m'envoyer la liste des gîtes ruraux *[chambres d'hôte, campings, campings à la ferme, hôtels, villages de vacances, auberges de jeunesse, loueurs de VTT…]*

Avec mes remerciements, je vous prie d'agréer, Madame, l'assurance de ma considération distinguée.

DEMANDE DE DOCUMENTATION À UN ORGANISME DE VOYAGES OU DE LOISIRS

Monsieur,

Pouvez-vous, je vous prie, avoir l'amabilité de m'adresser la *[les]* brochure*[s]* concernant les voyages en car en Europe de l'Est *[les circuits en Syrie-Jordanie, les vacances en clubs avec garderie d'enfants, les stages de poterie, les itinéraires de grande randonnée dans les Alpes, les sorties à la découverte des oiseaux, le festival musical de Saint-Florent-le-Vieil…]*.

En vous remerciant d'avance, je vous prie d'agréer, Monsieur, l'expression de mes salutations distinguées.

> **MODÈLE** DEMANDE DE RENSEIGNEMENTS À UN MÉDIA
>
> Monsieur,
>
> Dans votre émission de vendredi dernier (17 juillet) vers
> 10 heures, vous avez parlé d'une famille dans le Queyras qui
> fabrique du fromage de chèvre et propose des chambres d'hôte
> *[vous avez passé un disque des lieder de Schubert qui vient de sortir...].*
>
> Je n'ai malheureusement pas pu noter son nom et son adresse
> *[ses références...],* car j'ai été dérangé*[e]* à ce moment-là. Pourriez-
> vous avoir l'amabilité de me les indiquer ?
>
> Je vous en remercie d'avance et vous félicite pour cette émission
> sur le tourisme *[sur les livres, sur la musique...]* qui est toujours très
> intéressante.
>
> Veuillez agréer, Monsieur, mes salutations distinguées.

■ DEMANDE D'AUTORISATION

> **MODÈLE** DEMANDE D'AUTORISATION DE CAMPER
>
> Monsieur *[le Maire],*
>
> Animateur du club cyclo-touriste de Lasson (89), j'organise du
> 8 au 18 août une randonnée pour dix personnes dans les monts
> d'Auvergne. Et nous aimerions beaucoup camper dans des sites
> calmes à l'écart du tourisme.
>
> Pourriez-vous avoir l'amabilité de nous autoriser à camper dans
> votre propriété *[à camper au bord de la Couze Pavin, à la hauteur du
> bois des Puys...]* durant deux jours, du 10 au 12 août ? Nous ne
> ferons pas de feu et laisserons, bien sûr, les lieux dans un état
> impeccable.
>
> En vous remerciant de votre réponse, je vous prie d'agréer,
> Monsieur *[le Maire],* l'assurance de ma considération distinguée.
>
> *[PJ : enveloppe timbrée à votre adresse]*

Monsieur,

Professeur de 6ᵉ au collège Jean-Baptiste Poquelin de Saumur, j'aimerais emmener une trentaine de mes élèves visiter votre atelier de tapisserie.

Accepteriez-vous de nous ouvrir vos portes, un jour qui vous conviendrait, de préférence un mercredi ou un vendredi ?

[Passionnée par le début de la Renaissance en Touraine, j'ai consulté en bibliothèque de nombreux documents concernant votre château. Je sais qu'il n'est pas ouvert au public, mais j'aimerais beaucoup le visiter. Pourriez-vous m'y autoriser, un jour qui vous conviendrait ?...]

En vous remerciant de votre réponse, je vous prie d'agréer, Monsieur, l'assurance de ma considération distinguée.

[PJ : enveloppe timbrée à votre adresse]

■ LOCATIONS SAISONNIÈRES

MODÈLE **PETITES ANNONCES D'OFFRES DE LOCATIONS SAISONNIÈRES**

Port-Leucate (11).

Dans résidence avec piscine. 600 m mer. 2 pièces, 4 personnes : chambre, mezzanine, séjour, cuisinette, TV, salle d'eau, W.-C. Jardinet avec salon de jardin et barbecue. Parking.

1 200 € juillet, 1 375 € août.

Tél. : 04 68 85 97 24 (si absent laisser message répondeur).

Les Deux-Alpes (38).

Appartement 4 couchages, tout confort. Plein sud, balcon, pied des pistes. Parking couvert. Loue avril 245 €/semaine et juillet-août 215 €/semaine, charges comprises.

Tél. : 04 76 24 18 57 heures bureau.

Opio (06).

Attenant à villa. Petite maison 3 pièces : cuisine, salle de séjour, 2 chambres, salle de bains, W.-C., lave-linge, terrasse plein sud, jardin. Parking fermé. Animaux acceptés. *[Animaux refusés.]*
Tél. : 04 93 78 54 55 ou 04 93 58 25 25.

35 km Gérardmer (88).

Hautes Vosges. Propriété, pleine campagne, sans voisin. 3 chambres, beau séjour avec poutres et cheminée. 6/8 personnes. Tout confort, chauffage central, téléphone, télévision, lave-linge. Grand terrain. Proximité rivière et lac pour la pêche, forêt, cascades, grottes.
Vacances scolaires : 305 à 765 €/semaine.
Hors vacances scolaires : 230 à 380 €/semaine. Tél. : 05 46 52 63 25.

MODÈLE **DEMANDE DE LOCATION À UNE AGENCE**

Madame,

Nous sommes deux couples avec trois enfants en tout *[et un chien...]* et nous cherchons à louer une maison *[un appartement...]* du 7 au 21 août dans la région de La Grande-Motte.

Nous souhaitons :

– trois ou quatre chambres *[dont une de préférence avec un grand lit et une avec des lits jumeaux]* plus un séjour ;
– une salle de bains et une douche ou, juste, une salle de bains ;
– être dans un quartier calme à moins de 500 mètres de la mer ;
– si possible un parking ou un garage ;
– si possible un jardin *[une terrasse, une piscine...]*.

Pouvez-vous nous faire parvenir des offres de location correspondant à ces critères ? Si vous pouviez nous joindre un plan de la ville, un plan de la maison *[de l'appartement]* et des photos, nous apprécierions vivement. Et nous vous renverrons au plus vite la documentation sur ce qui ne nous intéresse pas.

En vous remerciant de votre réponse, nous vous prions d'agréer, Madame, l'expression de nos salutations distinguées.

Recherche villa avec piscine

(84, 06, 83, 13) 6 personnes. Calme. Du 2 au 30 juillet ou à la quinzaine. Prix correct. Tél. : 01 45 89 78 24 ou fax : 01 45 89 63 12.

Cherche à louer en Espagne,

Malaga ou environs proches, villa ou appartement 4 à 5 chambres.

Pour vacances de Pâques : 6-20 avril.

Situation calme, bon environnement.

Tél. : 02 48 58 63 23 (si absent laisser message répondeur).

Bord rivière indispensable pour pêche

De préférence en Maine-et-Loire, Mayenne ou Vienne. Personnes sérieuses références cherchent maison tout confort, 3 chambres au minimum. Écrire au journal qui transmettra.

Madame,

Intéressé[e] par votre annonce parue dans le Journal du vacancier sous la référence 110/ASF 4685 *[Intéressé(e) par la location que vous me proposez à proximité de Guérande...]*, j'aimerais que vous me donniez quelques précisions :

• Où se trouve exactement la maison ? *[Au centre de la ville, à combien de kilomètres du bourg, dans une rue calme ou bruyante, en pleine campagne, à quel étage, y a-t-il un ascenseur ?...]*

• À quelle distance de la mer *[des pistes de ski, de la rivière, d'une piscine publique...]* et du centre-ville *[des commerces alimentaires, d'une pharmacie, d'une garderie d'enfants...]* se trouve la maison ?

• Existe-t-il un moyen de transport (autobus ou car) à proximité permettant d'aller facilement à la plage *[aux pistes de ski, à la ville la plus proche...]* ? À quelle fréquence passe-t-il et combien de temps met-il ?

• Quelle est l'orientation de la maison ?

• Quelle est la disposition et la superficie des pièces ? Combien y a-t-il de lits dans chaque chambre ? S'agit-il de lits doubles, de lits jumeaux, de lits superposés ?

• Combien y a-t-il de salles de bains, de douches, de lavabos ? Combien y a-t-il de W-C ? Précisez s'ils sont dans la salle d'eau ou séparés.

• Quel est l'équipement de la cuisine ? *[Comporte-t-elle une table (si oui, à combien peut-on y prendre des repas ?), un lave-vaisselle, un four à micro-ondes, un four normal ?...]*

• Y a-t-il une télévision ?

• Y a-t-il un garage, un jardin (si oui, est-il clôturé et quelles sont ses dimensions ?), un barbecue *[un bac à sable, une piscine privée et de quelles dimensions...]* ?

• *[Ma fille étant handicapée, j'aimerais savoir s'il y a quelques marches pour accéder à la maison, si l'on peut stationner juste à côté de la porte d'entrée et s'il y a une chambre en rez-de-chaussée.]*

• Pouvons-nous amener notre chien ?

• Quel est le tarif du 1er au 30 août ? Quelles sont les charges ?

• Vous serait-il possible de nous envoyer quelques photos et un plan de la maison ?

En vous remerciant vivement de ces renseignements, nous vous prions d'agréer, Madame, l'expression de nos salutations distinguées.

RÉCLAMATIONS

MODÈLE | **RÉCLAMATIONS AUPRÈS D'UN LOUEUR POUR FAUX RENSEIGNEMENTS**

Monsieur,

L'appartement que vous m'avez loué ne correspond pas du tout à votre description. Vous aviez indiqué dans votre annonce *[dans votre courrier...]* : « appartement tout confort, calme, à 200 mètres de la mer ». C'est peut-être vrai à vol d'oiseau, mais par la route il faut compter plus de deux kilomètres, ce qui n'est pas du tout la même chose à pied !

Le confort est quasiment inexistant, les sanitaires sont sales et en mauvais état. Quant au calme, n'en parlons pas. Avec l'aéroport à proximité, on est réveillé dès 6 heures du matin et il est impossible de se reposer ni même de lire tranquillement pendant la journée.

Vous comprendrez parfaitement que nous n'ayons pas pu y rester plus de 48 heures ! *[Vous comprendrez parfaitement notre mécontentement...]*

Je vous demande donc de me rembourser totalement les sommes que je vous ai versées. *[Je vous demande donc de nous rembourser le tiers du prix de la location, soit ... euros...]*

[J'espère que vous accepterez cette solution amiable plutôt que de m'obliger à porter plainte pour renseignements mensongers et à vous demander des dommages et intérêts...]

Veuillez agréer, Monsieur, l'expression de mes salutations distinguées.

AR

MODÈLE **RÉCLAMATIONS À UNE AGENCE DE VOYAGES POUR ENGAGEMENTS NON TENUS**

Madame,

Le voyage *[séjour...]* que j'ai fait en Espagne du 15 au 30 juillet ne correspondait pas du tout à ce j'attendais.

Votre catalogue et le contrat que j'ai signé annonçaient un hôtel trois étoiles avec piscine en bordure de mer. En réalité, l'hôtel se trouvait dans le quartier du port, à deux kilomètres de la première plage. Sale et sans eau chaude, il ne méritait pas mieux qu'une étoile au maximum. Et sa piscine n'était qu'un petit bassin pour les enfants.

Je vous demande donc de me rembourser ce séjour qui ne correspondait pas du tout à ce que vous vous étiez engagée à fournir. *[Je vous demande donc de me rembourser la différence entre le prix d'un séjour en hôtel « trois étoiles » avec « piscine en bordure de mer » et celui d'un séjour dans cet hôtel sinistre.]*

[Votre catalogue et le contrat que j'ai signé annonçaient une excursion de cinq jours à Cordoue et à Grenade qui a été annulée

*et remplacée par une seule journée à Séville. Je vous demande donc
de me rembourser la différence entre l'excursion de cinq jours et
celle de la journée...]*

Veuillez agréer, Madame, mes salutations distinguées.

■ RÉSERVATIONS, ANNULATIONS

MODÈLE **RÉSERVATION D'UNE LOCATION DE VACANCES**

Monsieur,

Suite à notre entretien téléphonique *[à notre correspondance...]*,
je vous confirme ma réservation de votre appartement à Namur
*[d'une chambre à deux lits, d'un emplacement pour une caravane et
pour une tente...]* pour la période du 1ᵉʳ au 21 juillet.

J'ai bien noté que le tarif était de ... euros par semaine charges
comprises *[de ... euros par jour et par personne petit déjeuner et dîner
compris...]*.

Comme convenu, je vous adresse... euros d'arrhes par chèque
sur la banque du Nord. Vous voudrez bien, en retour, confirmer
cette réservation au prix convenu.

Veuillez agréer, Monsieur, mes salutations distinguées.

PJ : chèque

MODÈLE **ANNULATION D'UNE RÉSERVATION DE LOGEMENT**

Monsieur,

Par suite d'un empêchement, je vous prie de bien vouloir
annuler ma réservation de votre appartement à Namur *[d'une
chambre à deux lits...]* pour la période du 1ᵉʳ au 21 juillet.

Comme le prévoit notre contrat de location, je vous adresse
un chèque de 60 euros à titre d'indemnité.

En espérant que vous pourrez facilement le *[la]* relouer, je vous prie d'agréer, Monsieur, mes sincères regrets et l'expression de mes salutations distinguées.

PJ : chèque

MODÈLE   ANNULATION D'UN CONTRAT DE VOYAGE ASSURÉ

Madame,

J'ai signé avec votre agence un contrat pour un voyage organisé au Maroc du 15 au 25 avril. Or je viens de me casser la jambe *[ma mère vient de mourir...]* et je ne pourrai partir à cette date.

Il s'agit là d'un empêchement couvert par l'assurance annulation que j'ai souscrite en m'inscrivant. Vous voudrez donc bien me rembourser les sommes que je vous ai déjà versées.

Je vous adresse ci-joint un certificat médical *[un extrait de l'acte de décès de ma mère...]*.

Veuillez agréer, Madame, mes salutations distinguées.

PJ : certificat médical *[acte de décès]*

MODÈLE   ANNULATION PAR SUITE DE MODIFICATION DU VOYAGE

Madame,

Vous m'apprenez que le voyage organisé en Russie du 15 au 25 avril pour lequel je m'étais inscrit*[e]* ne comportera pas de visite de Saint-Pétersbourg, contrairement à ce qui était prévu.

Dans ces conditions, je préfère annuler mon voyage. Vous voudrez bien me rembourser la somme que je vous ai déjà réglée et me verser une indemnité égale à celle que j'aurais dû payer si j'avais moi-même annulé le contrat sans raison majeure.

[Je souhaite malgré tout participer à ce voyage et vous renvoie donc signé l'avenant du contrat que vous m'avez adressé...]

Veuillez agréer, Madame, mes salutations distinguées.

[PJ : avenant du contrat signé]

Organismes sociaux

VIE PRATIQUE

Le vocabulaire des organismes sociaux

Assuré : personne qui cotise à un organisme social.

Ayant droit : personne qui ne cotise pas personnellement, mais bénéficie de la protection sociale d'un assuré. Par exemple, le conjoint qui ne travaille pas ou les enfants à charge.

Liquidation d'une pension : calcul et paiement d'une pension.

Ticket modérateur : part des dépenses de santé laissée à la charge de l'assuré après le remboursement de la Sécurité sociale.

Tiers payant : système permettant à l'assuré de ne payer (chez le pharmacien, à l'hôpital, etc.) que le ticket modérateur sans avoir à avancer les sommes remboursées par la Sécurité sociale.

Pour écrire aux organismes sociaux

La correspondance avec les organismes sociaux doit être précise pour faciliter le traitement de votre demande.

Si vous avez un doute en ce qui concerne votre lettre n'hésitez pas à contacter l'organisme concerné par téléphone. Ainsi, vous pourrez préciser avec votre interlocuteur l'ensemble des renseignements et, éventuellement, des documents que vous devez produire. Au moment de la rédaction, faites particulièrement attention à toutes les références que vous indiquez (numéro de sécurité sociale, numéro de dossier...), car toute erreur empêcherait le traitement rapide de votre demande. Pour commencer, voici les éléments que vous devez toujours rappeler au début de votre lettre.

Rappelez toujours :

• *vos nom et adresse ;*
• *votre numéro d'immatriculation à la Sécurité sociale*
ou votre numéro d'immatriculation à la caisse concernée (ne confondez pas le numéro de sécurité sociale et le numéro d'allocataire des caisses d'allocations familiales) ;
• *éventuellement la référence de votre dossier.*

Gérard Dupont
12, rue Ordener
75018 Paris
N° sécurité sociale :
1 75 04 70 115 122 58
Votre réf. : 00 526

Caisse d'assurance maladie
centre de la Chapelle
6, rue Boucry
75875 Paris Cedex 18

12 janvier 2004

Madame, Monsieur,
...

■ ALLOCATIONS CHÔMAGE

LETTRE D'ACCOMPAGNEMENT D'UN DOSSIER DE DEMANDE D'ALLOCATIONS CHÔMAGE

Monsieur,

Veuillez trouver ci-jointes ma demande d'allocations chômage ainsi que l'attestation de mon ancien employeur.

J'espère que mon dossier est ainsi complet. Dans le cas contraire, je reste à votre disposition pour vous fournir toute pièce complémentaire dont vous pourriez avoir besoin.

Je vous prie d'agréer, Monsieur, l'expression de mes salutations distinguées.

PJ : demande d'allocations chômage et attestation d'emploi

CONTESTATION D'UN REFUS DE VERSEMENT DES ALLOCATIONS CHÔMAGE

Monsieur le Directeur,

Par lettre du 15 avril, vos services m'informent que ma demande d'allocations chômage est rejetée à cause de ma démission.

En réalité, j'ai été obligée de démissionner à la suite de la mutation de mon mari à Fécamp *[ou parce que mon employeur a fait pression sur moi pour que je démissionne, ou parce que mon état de santé ne me permettait plus de supporter les conditions de travail...].*

[Par lettre du 15 avril, vous m'informez que le versement de mes allocations cessera le 15 mai car j'ai refusé plusieurs emplois proposés par l'ANPE. Or, ces emplois ne correspondaient pas à ma qualification...]

Je vous demande donc de bien vouloir réexaminer mon dossier dans l'espoir d'une décision favorable.

Veuillez agréer, Monsieur le Directeur, l'expression de mes salutations distinguées.

PJ : photocopie des pièces justificatives et/ou preuves de démarche de recherche d'emploi

■ ALLOCATIONS FAMILIALES ET ASSURANCE MALADIE

MODÈLE **DEMANDE DE RENSEIGNEMENTS SUR LES ALLOCATIONS**

Madame,

Étant séparée de mon ami depuis trois mois, je vis seule avec notre enfant de 3 ans et un salaire de 1 070 euros seulement par mois. Pouvez-vous me dire si je peux bénéficier d'une allocation et quelles démarches je dois entreprendre pour l'obtenir ?

[Mon mari et moi travaillons à plein temps et souhaiterions faire garder à domicile nos trois enfants âgés de 1, 2 et 4 ans. Nos salaires s'élevant respectivement à 12 840 euros et 14 940 euros par an, je pense que nous avons droit à une allocation de garde d'enfant à domicile. Pouvez-vous nous indiquer les démarches à entreprendre pour en faire la demande et nous adresser éventuellement les formulaires correspondants ?]

En vous remerciant de votre réponse, je vous prie d'agréer, Madame, l'assurance de ma considération.

MODÈLE **DEMANDE D'AFFILIATION AU RÉGIME D'ASSURANCE DE SON CONCUBIN**

Monsieur,

Vivant maritalement avec Patrick Despois et ne travaillant pas, j'aimerais pouvoir bénéficier de son assurance maladie pour la prise en charge de mes frais médicaux.

Voici son numéro d'immatriculation à la Sécurité sociale : Patrick Despois : n° 1 76 02 80 112 108 15.

Vous trouverez ci-joint un certificat de concubinage.

Veuillez agréer, Monsieur, l'expression de mes salutations distinguées.

PJ : certificat de concubinage

Monsieur,

Je vous informe que je suis désormais séparée de mon ancien concubin, Patrick Despois. Je vis donc seule avec mes deux enfants âgés de 3 et 6 ans, qui sont à ma charge.

Pouvez-vous le noter dans mon dossier et me dire si cela modifie les allocations auxquelles j'ai droit ?

[Je vous demande de bien vouloir m'adresser désormais les virements sur le compte 45 899 du CDO. Ci-joint un relevé d'identité bancaire.]

Vous remerciant de votre réponse, je vous prie d'agréer, Monsieur, l'expression de mes salutations distinguées.

[PJ : RIB]

MODÈLE   DEMANDE DE BILAN DE SANTÉ GRATUIT

Madame,

Âgé*[e]* de 55 ans, j'aimerais effectuer un bilan de santé gratuit. Pouvez-vous m'indiquer les conditions pour en bénéficier et me communiquer l'adresse des centres où je puis le faire pratiquer ?

En vous remerciant de votre réponse, je vous prie d'agréer, Madame, l'expression de mes salutations distinguées.

MODÈLE   RÉCLAMATION CONCERNANT LE DÉCOMPTE
DES INDEMNITÉS MALADIE

Madame,

En examinant le décompte de mes indemnités maladie de la période du 4 au 14 juin 2002, je m'aperçois que vous n'avez pas compté la journée du 14 juin. Je vous serais donc reconnaissant*[e]* de revoir mon dossier afin de réparer cette erreur ou cet oubli, ou de m'expliquer pourquoi vous n'avez pas pris en compte cette journée.

En vous remerciant, je vous prie d'agréer, Madame, l'expression de mes salutations distinguées.

MODÈLE **DEMANDE D'EXPERTISE MÉDICALE**

Monsieur le Directeur,

Par lettre du 12 mai dernier *[dont je vous joins la photocopie]*, vous m'informez que je n'ai plus droit à l'indemnité journalière de treize euros que vous m'aviez accordée à la suite de mon accident du travail *[que le médecin-conseil de votre caisse a émis un avis défavorable à ma demande de remboursement de séances de kinésithérapie adressée le 29 avril]*.

Contestant votre décision, je vous prie donc de bien vouloir réexaminer mon dossier et je demande un contrôle médical par votre médecin expert pour faire constater mon état.

Voici le nom et l'adresse de mon médecin traitant pour que vous puissiez vous mettre en rapport avec lui dans les meilleurs délais :

Dr Pierre Tracot. 58, avenue de la Gare. 03200 Vichy

Tél. : 04 70 58 96 23

Veuillez agréer, Monsieur le Directeur, l'expression de ma considération distinguée.

[PJ : photocopie de la lettre]

MODÈLE **DEMANDE D'AIDE EXCEPTIONNELLE À UN FONDS DE SECOURS**

Monsieur le Directeur,

Traversant de graves difficultés, j'aimerais savoir si vous pouvez m'accorder une aide exceptionnelle sur votre fonds de secours.

En arrêt de travail depuis le 15 mai, je ne touche plus que 915 euros par mois. Vivant seule avec un enfant de 12 ans à charge, je n'arrive plus à payer mon loyer de 410 euros par mois et mes frais médicaux qui se montent à 180 euros par mois.

Vous trouverez ci-jointes les photocopies des pièces justificatives concernant mon état médical, mes ressources et mes charges. Je reste à votre disposition pour vous fournir tout renseignement complémentaire.

En vous remerciant de l'attention que vous voudrez bien porter à ma demande, je vous prie d'agréer, Monsieur le Directeur, l'expression de ma considération distinguée.

PJ : photocopies des justificatifs médicaux et financiers

■ ALLOCATIONS DE RETRAITE

MODÈLE | **DEMANDE DU RELEVÉ DE COMPTE D'ASSURANCE VIEILLESSE**

Monsieur,

Pouvez-vous, je vous prie, m'adresser mon relevé de cotisations d'assurance vieillesse en m'indiquant le nombre de trimestres durant lesquels j'ai cotisé jusqu'à ce jour *[validés à ce jour]* ?

Avec mes remerciements, je vous prie d'agréer, Monsieur, l'expression de mes salutations distinguées.

MODÈLE | **DEMANDE DE RECTIFICATION DU RELEVÉ DE COTISATIONS D'ASSURANCE VIEILLESSE**

Madame,

J'ai bien reçu mon relevé de cotisations d'assurance vieillesse. Mais il me semble que vous avez oublié de prendre en compte la période du 1er septembre 1989 au 30 juin 1990, durant laquelle j'étais au chômage *[en arrêt de travail, où je travaillais en tant qu'intérimaire...]*. Vous trouverez ci-jointe la photocopie des justificatifs des allocations que j'ai perçues *[des salaires que j'ai perçus]* durant cette période.

En vous remerciant de bien vouloir réparer cet oubli *[erreur...]*, je vous prie d'agréer, Madame, l'expression de mes salutations distinguées.

PJ : photocopies des justificatifs d'allocations *[des salaires]*

FAC-SIMILÉ | **DEMANDE DE RENSEIGNEMENTS SUR LA RETRAITE**

Solange Métayer
14, rue Blanche
70000 Vesoul
N° de sécurité sociale :
2 04 58 70 115 106 58

Caisse de retraite
35, rue de L'étang
70000 Vesoul

21 novembre 2002

Madame,

Après avoir été mariée pendant dix ans, j'ai divorcé et élevé, seule, mes trois enfants avec la pension que me versait mon ancien conjoint. Je n'ai travaillé que durant 12 ans, entre le 1er septembre 1990 et ce jour. *[Je suis salariée de la société Larose, 3, rue Bleue, à Vesoul.]* Je ne me suis pas remariée.

Pouvez-vous me dire si le fait de m'être consacrée à l'éducation de mes enfants me donne droit à des compensations en matière de retraite ? Et, si oui, lesquelles ?

[Mon ex-mari, Frédéric Rouart, affilié à votre caisse sous le n° 584 896, est décédé le 12 juin dernier. Nous avions été mariés du 4 mai 1978 au 15 avril 1990, date de notre divorce. Il s'est ensuite remarié en 1992. Pouvez-vous me dire si j'ai droit à une partie de sa retraite ? Et, si oui, quelles sont les démarches à entreprendre pour en bénéficier ?]

En vous remerciant de bien vouloir me répondre rapidement, je vous prie d'agréer, Madame, l'expression de mes sentiments distingués.

[signature]

Monsieur,

Étant âgé*[e]* de soixante ans, j'envisage de prendre ma retraite à partir du 1er juin prochain.

Pouvez-vous m'indiquer les démarches à entreprendre et m'envoyer les imprimés à remplir pour faire ma demande officielle ?

Je vous précise que je suis né*[e]* le 12 janvier 1944 et que je suis actuellement salarié*[e]* de la société Primevère, 4, rue Blanche, à Libourne *[menuisier à mon compte, 12, impasse Renan, à Libourne…]*.

Dans l'attente de votre réponse, je vous prie d'agréer, Monsieur, mes salutations distinguées.

Monsieur,

Ancien chef de gare, je suis à la retraite depuis le 1er mai 2000, et j'aimerais savoir si je peux reprendre un emploi salarié à mi-temps et à quelles conditions ? *[Boulanger à la retraite, j'aimerais savoir si je peux prendre un emploi de gardien, non salarié, en échange d'un logement ?]*

Pourrai-je continuer à toucher mes allocations ou, du moins, une partie de celles-ci ?

Dans l'attente de votre réponse, je vous prie d'agréer, Monsieur, mes salutations distinguées.

Madame,

Ma femme, âgée de 65 ans, ne touche aucune retraite et a pour toutes ressources 455 euros par an. M'est-il possible de bénéficier d'une majoration de ma retraite, qui se monte à 10 980 euros par an, pour conjoint à charge ? Si oui, quelles pièces dois-je vous fournir ? Et quel serait le montant de cette majoration ?

Dans l'attente de votre réponse, je vous prie d'agréer, Madame, l'expression de mes salutations distinguées.

MODÈLE   **DEMANDE D'ATTRIBUTION DU MINIMUM VIEILLESSE**

Madame,

Mon mari et moi-même ne touchons que 10 050 euros par an d'allocation retraite. Nous serait-il possible de bénéficier du fonds national de solidarité ? *[Vivant seul, âgé de 68 ans, et n'ayant jamais cotisé à un organisme de retraite, j'aimerais savoir si je peux obtenir le minimum vieillesse...]*

Si oui, quelles sont les démarches à entreprendre ?

Dans l'attente de votre réponse, je vous prie d'agréer, Madame, l'expression de mes salutations distinguées.

■ MAISONS DE RETRAITE

MODÈLE   **DEMANDE DE RENSEIGNEMENTS**
SUR LES MAISONS DE RETRAITE

Madame,

Âgé*[e]* de 72 ans et vivant seul*[e]*, j'aimerais entrer dans une maison de retraite.

Pouvez-vous me donner la liste des différentes maisons accueillant des personnes âgées dans mon département.

Je vous précise que j'ai beaucoup de mal à marcher et que je ne vois plus très bien. De plus, mes ressources financières sont très limitées puisque je ne dispose que de 11 892 euros par an.

Dans l'attente de votre réponse, je vous prie d'agréer, Madame, mes salutations distinguées.

Monsieur le Directeur,

Âgé*[e]* de 82 ans, je souhaiterais entrer dans votre maison de retraite, si possible en juin de l'année prochaine, quand mon petit-fils, qui vit actuellement chez moi, partira travailler à l'étranger.

[Âgé de 69 ans, veuf depuis trois ans, je ne supporte plus de vivre seul dans mon appartement et souhaiterais entrer dans votre établissement dès que vous aurez une place disponible.]

Pouvez-vous avoir l'amabilité de m'envoyer les renseignements sur vos conditions d'admission et les services que vous proposez ?

Je vous précise que je suis en relative bonne santé et encore parfaitement autonome. *[Je vous précise que j'ai du mal à monter les escaliers par suite d'une fracture.]*

J'aimerais savoir si vous gardez les personnes ayant besoin de soins et les personnes dépendantes ?

En vous remerciant, je vous prie d'agréer, Monsieur le Directeur, l'expression de ma considération distinguée.

■ RÉCLAMATIONS POUR RETARD DE PAIEMENT

Monsieur,

Je vous ai adressé le 3 octobre une demande de remboursement de frais médicaux *[d'allocations chômage...]*. À ce jour, je n'ai toujours rien reçu.

Ma situation financière étant très difficile, je vous serais reconnaissant*[e]* de faire le nécessaire pour que ce remboursement *[ces allocations]* me parvienne*[nt]* rapidement.

En vous remerciant de votre intervention, je vous prie d'agréer, Monsieur, mes salutations distinguées.

MODÈLE NON-PAIEMENT D'ALLOCATIONS À LA SUITE
D'UN DÉMÉNAGEMENT

Madame,

À l'occasion de mon déménagement, j'ai écrit, le 5 janvier dernier, à mon ancienne caisse d'allocations de Dijon et à la vôtre, dont je dépends maintenant, pour faire part de mon changement d'adresse et demander le transfert de mon dossier. C'est pourquoi je m'étonne de n'avoir perçu aucune allocation depuis trois mois *[je vous joins une photocopie de ma lettre]*.

Pouvez-vous avoir l'amabilité de vérifier que mon dossier a bien été transféré et faire le nécessaire pour que je touche le plus rapidement possible les allocations qui me sont dues.

Vous remerciant de votre intervention, je vous prie d'agréer, Madame, l'expression de mes salutations distinguées.

[PJ : photocopie de la précédente lettre]

■ DEMANDE D'IMMATRICULATION COMME EMPLOYEUR

MODÈLE DEMANDE D'IMMATRICULATION EN TANT
QU'EMPLOYEUR DE GENS DE MAISON

Madame,

Je vous informe que, à partir du 1er septembre prochain, je vais embaucher, pour garder mes enfants à domicile, Mlle Isabelle Leteau, demeurant 18, rue des Bassins, à Maromme (76150), et dont le numéro de sécurité sociale est : 2 72 07 65 118 107 18.

Je vous prie donc de m'indiquer les formalités à remplir pour obtenir mon immatriculation en tant qu'employeur.

Veuillez agréer, Madame, mes salutations distinguées.

Administration

Pour écrire à l'Administration

Quand vous écrivez à l'Administration pour demander des renseignements ou pour que l'on vous envoie des documents, n'oubliez pas de joindre une enveloppe timbrée à vos nom et adresse pour la réponse.
Conservez toujours un double de votre lettre.

Rappelez toujours :

- *vos nom et adresse ;*
- *votre numéro d'immatriculation à la Sécurité sociale*
ou votre numéro d'immatriculation à la caisse concernée (ne confondez pas le numéro de sécurité sociale et le numéro d'allocataire des caisses d'allocations familiales) ;
- *éventuellement la référence de votre dossier ;*
- *le titre et/ou le nom de la personne à qui vous adressez votre courrier.*

Annie FABER
125, bd du Général-de-Gaulle
63000 Clermont-Ferrand
N° sécurité sociale :
2 75 03 63 113 107 14
Votre réf. : 00 748

Mᵐᵉ Jeanne Dupuis
Caisse d'assurance maladie
centre 261
23, rue de la Fontaine
63005 Clermont-Ferrand

12 janvier 2003

Madame
...

ÉTAT CIVIL

DEMANDE D'ACTE D'ÉTAT CIVIL

Madame,

Pouvez-vous, je vous prie, m'adresser une copie de mon acte de mariage *[un extrait de l'acte de naissance de ma fille, une copie de l'acte de décès de ma mère...]* ?

Claude, Marie, Anne Gagnère
Née le 12 juillet 1970
à Loctudy (29)
mariée avec Dominique Roubion
le 18 avril 1995 à Loctudy
Ci-joint une enveloppe timbrée pour la réponse.

Avec mes remerciements, je vous prie d'agréer, Madame, l'expression de mes salutations distinguées.

PJ : enveloppe timbrée *[à votre adresse]*

DEMANDE D'EXTRAIT DE CASIER JUDICIAIRE

Monsieur,

Je vous serais reconnaissant de bien vouloir m'adresser un extrait de mon casier judiciaire.

Nom, prénoms : **Rabotet Pierre, Jean**
Date et lieu de naissance : 2 décembre 1980 à Nancy (54).

Ci-joint une enveloppe timbrée pour la réponse et une photocopie de ma carte d'identité.

Avec mes remerciements, je vous prie d'agréer, Monsieur, l'expression de ma considération distinguée.

PJ : enveloppe timbrée *[à votre adresse]* et photocopie de la carte d'identité

MODÈLE **DEMANDE DE BULLETIN DE DÉCÈS**

Monsieur,

Je vous serais reconnaissant de bien vouloir m'adresser un bulletin de décès *[une copie d'acte de décès]* concernant ma mère *[nom et prénom de la personne]*, née le *[date de naissance]* à *[lieu de naissance]*, et décédée à *[lieu du décès]* le *[date du décès]*.

Avec mes remerciements, je vous prie d'agréer, Monsieur, l'expression de mes salutations distinguées.

MODÈLE **DEMANDE DE TRADUCTION D'UN ACTE D'ÉTAT CIVIL**

Madame,

Suite à notre conversation téléphonique, je vous fais parvenir comme convenu l'acte de naissance rédigé en polonais à traduire en français.

Vous trouverez ci-joint également un chèque couvrant le montant de vos honoraires.

Avec mes remerciements, recevez, Madame, l'assurance de ma parfaite considération.

PJ : acte de naissance et chèque

■ CERTIFICAT DE DOMICILE

MODÈLE **ATTESTATION D'HÉBERGEMENT**

Je soussigné Olivier Charrier, demeurant 35, rue du Lac, à Largentière (07), certifie que ma fille Laura Gratien *[que ma fille Laura Charrier]* est domiciliée chez moi à l'adresse ci-dessus.

Fait à Largentière le 12 novembre 2004.

[signature]

■ ADOPTION

DEMANDE DE RENSEIGNEMENTS SUR LES POSSIBILITÉS ET CONDITIONS DE L'ADOPTION

Monsieur,

Nous vivons en couple depuis plus de six ans, mais ne pouvons avoir d'enfant, c'est pourquoi nous aimerions en adopter un.

[Étant célibataire, âgée de 38 ans, j'aimerais accueillir un enfant dans mon foyer.]

Pouvez-vous nous *[m']* indiquer les conditions à remplir pour avoir le droit d'adopter un enfant et nous *[me]* donner la liste des organismes sérieux auxquels nous *[m']* adresser ?

Je vous précise que nous préférerions *[je préférerais]* adopter un enfant de moins de deux ans, si possible originaire d'un pays d'Asie.

[Je vous précise que nous sommes prêts (je suis prête) *à accueillir un enfant de tout âge, des frères et sœurs ou un enfant handicapé, de quelque origine que ce soit...]*

En vous remerciant de ces renseignements, nous vous prions *[je vous prie]* d'agréer, Monsieur, l'expression de nos *[mes]* salutations distinguées.

DEMANDE D'AGRÉMENT EN VUE D'UNE ADOPTION

M. et Mme Patrick MARTEL
[Mlle Hélène RATIER]
15, rue Racine
59000 Lille

Objet : demande d'agrément en vue d'une adoption

Madame,

Désirant accueillir un *[ou deux]* enfant*[s]* dans notre *[mon]* foyer, nous vous adressons *[je vous adresse]* une demande d'agrément en vue d'une adoption.

Nous sommes mariés depuis le 14 janvier 1990 et n'avons pas d'enfant. Ma femme est née le 8 mai 1970 (32 ans) et moi-même le 15 janvier 1969 (33 ans). *[Je suis célibataire, sans enfant, âgée de 38 ans.]*

Nous avons tous deux un emploi régulier et fixe. Je suis programmeur dans une société depuis plus de cinq ans et ma femme est gérante d'une librairie qui marche très bien. *[Je suis agrégée de mathématique et professeur dans un lycée.]*

Nous habitons, dans le quartier de la Motte, un pavillon de cinq pièces que nous louons. *[J'habite en centre-ville un appartement de trois pièces dont je suis propriétaire.]*

Nous restons *[Je reste]* à votre disposition pour vous fournir tous les renseignements complémentaires dont vous auriez besoin.

Veuillez agréer, Madame, l'expression nos *[mes]* salutations distinguées.

MODÈLE **DEMANDE D'INFORMATIONS SUR L'ADOPTION D'UN ENFANT ÉTRANGER**

Madame, Monsieur,

Désirant offrir un foyer à un enfant qui n'en a pas, nous avons fait, ma femme *[mon amie]* et moi, une demande d'agrément en vue d'une adoption à la direction de l'action sociale de l'enfance et de la santé. Notre dossier est actuellement en cours d'instruction.

Mais nous souhaiterions déjà que vous nous indiquiez quelles sont les procédures légales d'adoption à l'étranger et quels peuvent être les intermédiaires sérieux. En particulier en Inde et au Viêt Nam, pays que nous connaissons assez bien pour y avoir fait de nombreux voyages. *[Nous aimerions recevoir les dossiers de tous les pays, car nous sommes prêts à accueillir un enfant quelle que soit son origine ou sa nationalité.]*

Avec nos remerciements, nous vous prions d'agréer, Madame, Monsieur, l'expression de notre considération distinguée.

Monsieur le Directeur,

Mariés *[Vivant ensemble...]* depuis sept ans, mon mari *[ami...]* et moi souhaitons vivement adopter un*[des]* enfant*[s]*.

Nous savons maintenant que nous ne pouvons pas avoir d'enfant, et c'est tout naturellement que nous nous sommes tournés vers l'adoption.

Nous avons bien sûr longuement réfléchi et mûri ce projet. Le fait d'avoir eu à surmonter des difficultés a renforcé notre entente. Notre désir de construire notre vie ensemble est plus fort que jamais.

Nous souhaitons consacrer notre amour, notre jeunesse et notre énergie à élever un ou plusieurs enfants, s'il s'agit de frères et sœurs, auxquels nous serions très heureux de pouvoir offrir une vraie famille.

Permettez que nous nous présentions tour à tour en quelques mots.

Anne (33 ans). « *Ayant toujours regretté d'être fille unique, je m'étais promis d'avoir une nombreuse famille... Et je n'ai toujours pas renoncé à ce projet, en dépit des obstacles rencontrés.*

Aujourd'hui professeur d'espagnol, je mets tout en œuvre pour rendre mes cours vivants et pour établir un très bon contact avec mes élèves, âgés de 14 à 18 ans. Ce métier a aussi pour avantage d'être stable et de me laisser du temps libre, que je consacre au théâtre : je fais partie d'une troupe d'amateurs. Je voudrais partager toutes mes passions avec ceux qui deviendront « nos » enfants et découvrir avec eux de nouveaux centres d'intérêt. »

Pierre (35 ans). « *Troisième d'une famille de cinq enfants, j'ai perdu ma mère quand j'avais 12 ans et j'ai dû m'occuper beaucoup de mes deux derniers petits frères. J'étais le grand frère qui les aidait à faire leurs devoirs et inventait des jeux pour eux.*

Aujourd'hui, je dirige une petite entreprise de portage à domicile que j'ai créée avec deux amis il y a sept ans et qui marche très bien. Mais cela ne me suffit pas. Le plus important pour moi est maintenant de fonder une famille. »

Élevés tous deux dans la religion protestante, nous ne sommes plus pratiquants. Mais nous souhaiterions donner une éducation religieuse à notre *[nos]* enfant*[s]* pour qu'il*[s]* puisse*[nt]* ensuite choisir lui *[eux]*-même*[s]*.

Nous habitons un pavillon à 10 minutes du centre de Toulouse, que nous avons acheté à crédit et entièrement restauré nous-mêmes. Une grande chambre claire et ensoleillée attend celui ou celle qui sera « notre » enfant *[ceux qui seront « nos » enfants]*.

Nos parents et nos amis nous soutiennent dans notre démarche en vue d'une adoption. L'enfant *[Les enfants]* que vous voudrez bien nous confier trouvera *[trouveront]* donc chez nous la stabilité matérielle, mais aussi beaucoup d'attention et d'amour. Notre joie est immense à l'idée de pouvoir aider un petit garçon ou une petite fille *[des enfants]* à retrouver des racines.

Nous avons fait ensemble de nombreux voyages en Amérique latine, en particulier en Colombie, pays que nous aimons tout particulièrement. C'est pourquoi nous nous adressons à vous, car nous souhaitons adopter un enfant originaire d'un pays et d'une culture que nous connaissons et qui nous passionnent.

Nous espérons de tout cœur que vous accueillerez favorablement notre demande et que vous nous confierez un enfant *[ou plusieurs enfants]* à aimer...

Veuillez agréer, Monsieur le Directeur, l'expression de notre considération distinguée.

■ ÉLECTIONS

INSCRIPTION SUR LES LISTES ÉLECTORALES

Madame,

Je vous serais reconnaissant[e] de m'inscrire sur les listes électorales de votre commune.

Vous trouverez ci-jointes la photocopie recto verso de ma carte d'identité ainsi que la photocopie d'un justificatif de domicile dans votre commune.

Avec mes remerciements, je vous prie d'agréer, Madame, l'expression de ma considération distinguée.

PJ : photocopies de la carte d'identité et du justificatif de domicile

CHANGEMENT DE CIRCONSCRIPTION ÉLECTORALE

Madame,

Ayant déménagé de Lyon (3, rue du Puits, Lyon 6ᵉ) à Apt, je vous prie de bien vouloir m'inscrire sur les listes électorales d'Apt. Vous voudrez bien aussi demander ma radiation des listes de Lyon 6ᵉ.

Avec mes remerciements, je vous prie d'agréer, Madame, l'expression de ma considération distinguée.

PJ : photocopies de la carte d'identité et du justificatif de domicile

■ PÉTITION

PÉTITION ADRESSÉE AU MAIRE

Madame [*Monsieur*] le Maire,

Habitant le quartier Saint-Charles, nous ne disposons d'aucun jardin à proximité pour y promener les enfants. Le jardin le plus proche se situe en effet à plus de vingt minutes à pied.

C'est pourquoi nous vous demandons de bien vouloir étudier l'aménagement d'un petit parc de jeux dans notre quartier, par exemple à l'emplacement du terrain municipal en friche, à l'angle de la rue Blanche et de la rue du Puits.

[Nous sommes nombreux à souhaiter que la rue des Escouffes soit réservée aux piétons. C'est en effet une rue commerçante où il est très difficile de circuler à pied vu l'étroitesse des trottoirs. Nous vous serions donc reconnaissants de bien vouloir étudier son aménagement en zone piétonnière...]

En espérant que notre pétition retiendra toute votre attention, nous vous prions d'agréer, Madame *[Monsieur]* le Maire, l'assurance de notre considération distinguée.

[nom, prénom et signature de chacun des pétitionnaires]

ENQUÊTE PUBLIQUE

MODÈLE **RÉPONSE À UNE ENQUÊTE PUBLIQUE**

Madame *[Monsieur]* le Maire,

En réponse à l'enquête publique concernant l'aménagement d'une déviation pour contourner la partie nord de Ferréoles, je vous informe de mon soutien à ce projet. Je parle en mon nom personnel et au nom de l'association des parents d'élèves de l'école Charlemagne.

En effet, malgré l'installation d'un feu tricolore et, depuis peu, de «gendarmes couchés», les voitures continuent à rouler trop vite dans la traversée du village. De nombreux accidents sont évités de justesse à la hauteur de la maternelle, et un drame risque de se produire si on ne dévie pas la circulation.

En espérant qu'il sera tenu compte de nos arguments, je vous prie d'agréer, Madame *[Monsieur]* le Maire, l'assurance de ma considération distinguée.

Justice, recours

Le vocabulaire du courrier juridique

Acte authentique : contrat, témoignage, etc., reçu par un officier public (greffier, huissier, notaire, maire) et signé par le témoin *[les parties]*.

Acte sous seing privé : contrat, témoignage, etc., rédigé et signé librement par un *[des]* particulier*[s]*.

Aide juridictionnelle : prise en charge accordée par l'État aux personnes disposant de ressources modestes, et sous certaines conditions, de la totalité ou d'une partie des frais d'un procès (frais de justice et honoraires d'avocat).

Expédition : copie d'un acte notarié ou d'un jugement.

Grosse : exemplaire d'un acte notarié ou d'un jugement revêtu de la « formule exécutoire » (qui permet de le faire appliquer).

Mandat : pouvoir que l'on donne à une autre personne d'agir à sa place. Le mandant est celui qui donne le pouvoir ; le mandataire, celui qui le reçoit.

Médiateur de la République ou ombudsman (au Canada, on dit « protecteur du citoyen ») : fonctionnaire désigné pour examiner les plaintes des citoyens contre l'Administration.

Minute : original d'un jugement, d'un acte notarié.

Produire en justice : montrer, présenter devant un tribunal pour prouver que ce que l'on dit est vrai.

■ AIDE JUDICIAIRE

Monsieur,

Mon épouse ayant demandé le divorce *[Mon employeur m'ayant licencié et refusant de me verser mes indemnités...]*, j'aurais besoin de l'aide d'un avocat pour me défendre.

Malheureusement, mes ressources sont extrêmement limitées et je ne pourrai pas payer d'honoraires *[ni même les frais du procès]*.

Aussi, je vous prie de bien vouloir m'adresser un dossier de demande d'aide juridictionnelle dans les meilleurs délais.

Avec mes remerciements, je vous prie d'agréer, Monsieur, l'assurance de ma considération distinguée.

Monsieur,

Je vous ai adressé une demande d'aide juridictionnelle le 15 mars dernier. Au téléphone, vous m'aviez dit que l'on me désignerait un avocat vers le 15 avril. Or, je n'ai toujours pas reçu de nouvelles à ce jour.

Pourriez-vous avoir l'amabilité de reconsidérer mon dossier afin de tenter d'accélérer les choses, car je suis dans une situation financière *[familiale...]* extrêmement difficile ? Il est urgent que je puisse percevoir mes indemnités de licenciement, car je n'ai aucune autre ressource financière actuellement. *[Il est urgent que je puisse entamer rapidement une procédure de divorce, car mes deux enfants, âgés de 3 et 8 ans, sont très perturbés par le comportement de mon mari...]*

Dans l'attente de votre réponse et en vous remerciant de votre intervention, je vous prie d'agréer, Monsieur, l'expression de mes salutations distinguées.

AVOCATS, NOTAIRES

MODÈLE **LETTRE À UN AVOCAT CONCERNANT UN DOSSIER EN COURS**

Cher Maître,

Comme vous me l'avez demandé lors de notre dernier entretien, vous trouverez ci-joints les certificats médicaux et les justificatifs de mes dépenses dont vous aviez besoin pour régler le conflit qui m'oppose à M. Patout.

J'espère que le dossier est maintenant complet et je compte sur vous pour agir le plus rapidement possible.

Avec mes remerciements, je vous prie d'agréer, Cher Maître, l'expression de ma considération distinguée.

PJ : certificats médicaux et justificatifs de dépenses

MODÈLE **RELANCE À UN AVOCAT POUR UNE AFFAIRE QUI TARDE**

Cher Maître,

Par ma lettre du 4 novembre, je vous ai fait parvenir les pièces qui manquaient au dossier concernant le litige qui m'oppose à M. Patout.

J'espérais que vous pourriez ainsi régler rapidement cette affaire. Mais voilà deux mois que je suis sans nouvelles de vous. Quand je téléphone à votre étude, votre secrétaire me répond toujours que vous êtes en rendez-vous et que vous me rappellerez dès que possible...

J'ai maintenant un besoin urgent de l'indemnité que j'espère toucher.

Je vous serais donc reconnaissant de vous occuper au plus vite de mon dossier et de m'en tenir informé. Vous pouvez me joindre dans la journée au 01 42 44 12 12.

Dans l'attente de votre réponse ou d'un rendez-vous que vous voudrez bien me fixer, je vous prie d'agréer, Cher Maître, l'expression de ma considération distinguée.

Maître,

Comme vous me l'avez fait demander, je vous prie de bien vouloir trouver, ci-joint, mon témoignage concernant l'affaire Ménard.

Je suis à votre disposition pour tout renseignement complémentaire et vous prie d'agréer, Maître, l'expression de mes salutations distinguées.

PJ : témoignage

Je soussigné, Pierre, Henri RENAUD, né le 22 juillet 1960 à Brassac (81260), de nationalité française, pharmacien *[sans activité professionnelle ou à la retraite]*, demeurant 8, rue La Fontaine à Calais (62100), certifie avoir vu Sébastien Ménard le jeudi 12 mai 1994 sortir de son domicile, entre 10 et 11 heures, et monter dans une Citroën Xantia noire, conduite par un homme chauve qui, apparemment, l'attendait. J'ai cru reconnaître dans le fond de la voiture une silhouette de femme blonde.

Je n'ai ni lien de parenté ni alliance avec Sébastien Ménard. Je le connais de vue parce qu'il est mon voisin et que nos enfants fréquentent la même école. *[Je le connais pour avoir travaillé avec lui dans la société Acard, 12, place des Maréchaux à Calais.]*

Je sais que ce témoignage pourra servir en justice et que toute fausse déclaration peut entraîner des poursuites pénales.

Fait à Calais, le 14 octobre 1999.

[signature]

PJ : photocopie recto verso de ma carte nationale d'identité

MODÈLE   **DEMANDE À UN AVOCAT DE PRÉCISER SES HONORAIRES**

Maître,

J'ai été heureuse de vous rencontrer mardi dernier, 12 janvier, et de vous confier mon affaire *[mes intérêts]*, mais j'ai oublié de vous demander quels étaient vos honoraires.

Pouvez-vous avoir l'amabilité de m'établir un forfait ? Sinon, voulez-vous m'indiquer votre tarif horaire et me donner une première estimation du nombre d'heures de travail que vous devrez consacrer à mon dossier ?

Dans l'attente de votre réponse, je vous prie d'agréer, Maître, l'assurance de ma considération distinguée.

MODÈLE   **DEMANDE À UN AVOCAT D'ÉCHELONNER LE PAIEMENT DE SES HONORAIRES**

Maître,

J'ai bien reçu votre lettre m'adressant le relevé de vos honoraires. Comme vous le savez, je suis dans une situation financière très difficile et je ne suis pas en mesure actuellement de vous verser l'intégralité de cette somme. Vous serait-il possible d'envisager un échelonnement des paiements sur les six prochains mois ?

Avec mes remerciements, je vous prie d'agréer, Maître, l'expression de ma parfaite considération.

Maître,

Pour des raisons personnelles, je souhaite confier désormais le dossier concernant mon litige avec la société Caper à Maître Charbonneau, 5, rue de Bretagne, 29200 Brest.

Pouvez-vous donc avoir l'amabilité de lui transmettre toutes les pièces que je vous avais confiées au sujet de cette affaire ?

Veuillez agréer, Maître, l'expression de mes salutations distinguées.

Cher Maître,

Comme vous me l'avez demandé, vous trouverez ci-jointe la procuration de mon frère, nécessaire pour réaliser la vente de la maison de Namur. Quant à moi, je peux venir signer avec l'acheteur dès que le dossier sera prêt, à l'exception de la semaine du 3 au 10 mars, période pendant laquelle je m'absente pour un voyage d'affaires.

Avec mes remerciements, je vous prie d'agréer, Cher Maître, l'expression de ma considération distinguée.

PJ : procuration

MODÈLE **RELANCE À UN NOTAIRE POUR UNE SUCCESSION QUI TARDE À ÊTRE RÉGLÉE**

Maître,

Mes frères et moi vous avons fait, je crois, parvenir toutes les pièces qui vous manquaient pour régler la succession de notre père.

Or, chaque fois que je vous appelle, vous m'affirmez que le dossier est presque prêt et que vous allez nous réunir d'ici peu pour la signature. Cette situation est la même depuis plus de quatre mois maintenant.

Je vous serais donc reconnaissant de vous occuper au plus vite du règlement de cette succession.

Dans l'attente d'un rendez-vous à votre étude que vous voudrez bien nous fixer, je vous prie d'agréer, Maître, l'expression de ma considération distinguée.

◼ DÉFENSE DU CONSOMMATEUR

MODÈLE **DEMANDE DE RENSEIGNEMENTS À UNE ORGANISATION DE CONSOMMATEURS**

Madame,

J'ai acheté le 12 mai dernier une robe rouge dans la boutique Rêves, 15, rue Maréchal, à Corbeil-Essonnes (91100). Après avoir mis cette robe une matinée, je me suis aperçue qu'elle déteignait tellement que je ne pouvais plus la porter. Je l'ai donc rapportée au magasin en demandant qu'on me l'échange ou qu'on me la rembourse. Mais je me suis heurtée à un refus catégorique.

Pouvez-vous m'aider à obtenir satisfaction ou me dire comment procéder ? Vous trouverez ci-jointe la photocopie de la facture. Je peux vous montrer la robe et prouver ce que j'avance.

Avec mes remerciements, je vous prie d'agréer, Madame, l'expression de mes salutations distinguées.

PJ : photocopie de la facture de la robe

Monsieur,

J'ai passé mes vacances du 5 au 25 août à la pension des Thermes, rue du Lac, à Vallières-les-Eaux, où l'on m'a facturé le prix d'une chambre avec salle de bains alors que j'occupais une chambre avec douche.

Malgré mon insistance, le directeur de la pension n'a pas voulu revoir la facturation. C'est pourquoi je vous demande d'agir auprès de lui afin qu'il me rembourse le trop-perçu.

Vous trouverez ci-jointe la facture que je lui ai réglée, avec la description de la chambre que j'ai occupée.

En vous remerciant de votre intervention, je vous prie d'agréer, Monsieur, l'assurance de ma considération distinguée.

PJ : facture du séjour et description des lieux

■ DEMANDES D'INDEMNISATION

Messieurs,

Lundi 5 janvier à 6 h 30, alors que le feu venait de passer au vert pour les piétons et que j'étais en train de traverser le boulevard Diderot sur le passage clouté, une voiture a brûlé le feu rouge et m'a renversé*[e]*.

Le conducteur a pris si vite la fuite que les rares personnes présentes n'ont pu relever le numéro d'immatriculation du véhicule. Et la police ne l'a pas retrouvé.

Aussi, je vous demande de bien vouloir m'accorder une indemnisation de votre fonds de garantie. Vous trouverez ci-jointe la photocopie de mon dossier, avec le rapport des témoins de l'accident, le procès-verbal de la police et des certificats médicaux décrivant en détail la nature exacte de mes blessures et des séquelles qui en résultent.

Je reste à votre disposition pour vous fournir tout renseignement complémentaire.

En vous remerciant de l'attention que vous voudrez bien porter à ma situation, je vous prie d'agréer, Messieurs, l'expression de mes salutations distinguées.

PJ : photocopie du dossier, rapport des témoins, procès-verbal et certificats médicaux

---

MODÈLE **DEMANDE D'INDEMNITÉ À L'ADMINISTRATION**

Monsieur,

Le 14 juin vers 17 heures, me rendant en moto de Champeix à Coudes par la D12, j'ai fait une chute à cause d'une tranchée non signalée. Heureusement je n'ai pas été blessé, mais la roue avant de mon véhicule a été sérieusement tordue. *[Le 14 juin, vers 15 heures, un des ouvriers qui construisent la nouvelle mairie a laissé glisser une énorme pierre qui est tombée sur le toit de ma voiture et l'a sérieusement enfoncé.]*

Je vous demande donc de bien vouloir me rembourser les frais de réparation de ma moto *[de m'indemniser pour le dommage causé à ma voiture]*.

Vous trouverez ci-joints le témoignage d'une personne qui a assisté à l'accident ainsi que le devis de mon garagiste.

Dans l'attente de votre réponse, je vous prie d'agréer, Monsieur, l'expression de mes salutations distinguées.

PJ : témoignage et devis du garagiste

RECOURS AUX ÉLUS

DEMANDE D'INTERVENTION À UN CONSEILLER MUNICIPAL

Monsieur [*Madame*] le Maire,

Mon fils Alain, âgé de 12 ans, ne peut se déplacer qu'en fauteuil roulant, car il a les jambes paralysées. Il ne peut monter les marches menant au collège Bergson où il est inscrit. Comme il n'y a pas de rampe d'accès, il faut toujours quelqu'un pour le porter. [*À l'intérieur du bâtiment, il peut utiliser l'ascenseur.*]

J'ai donc demandé à plusieurs reprises au directeur, M. Arnaud, que soit aménagée une rampe d'accès. Mais en vain... Pourriez-vous insister pour que cet équipement peu coûteux, mais qui faciliterait beaucoup la vie de mon fils et celle d'autres enfants handicapés, soit installé ?

En vous remerciant de votre intervention, je vous prie d'agréer, Monsieur [*Madame*] le Maire, l'expression de toute ma considération.

MODÈLE **DEMANDE D'INTERVENTION À UN DÉPUTÉ**

Madame le Député,

Devant être expulsée de mon studio à la fin du mois de juin, j'ai déposé, le 5 janvier 2004, une demande de logement de type F2 à l'office du logement de Namur. Je n'ai toujours pas obtenu de réponse malgré mes nombreuses relances.

Pourriez-vous intervenir en ma faveur auprès de cet organisme ?

Vous trouverez ci-jointe la photocopie de ma lettre à l'office du logement de Namur.

Avec mes remerciements, je vous prie d'agréer, Madame le Député, l'assurance de ma respectueuse considération.

PJ : photocopie de la lettre

MODÈLE **DEMANDE À UN DÉPUTÉ DE FAIRE INTERVENIR LE MÉDIATEUR DE LA RÉPUBLIQUE**

Monsieur le Député,

Ayant été victime d'un accident de chemin de fer qui s'est produit sur la ligne Valence-Montélimar le 12 juillet 2003, je n'ai toujours pas été indemnisé*[e]* par la société Transit Rail Express des dommages que j'ai subis.

Plusieurs lettres de réclamations envoyées en recommandé avec avis de réception sont restées sans réponse. *[Je me heurte à un refus sans explications.]*

C'est pourquoi je vous demande de bien vouloir transmettre mon dossier au médiateur de la République.

Je reste à votre disposition pour vous fournir tout renseignement complémentaire et vous remercie de votre intervention.

Veuillez agréer, Monsieur le Député, l'assurance de ma respectueuse considération.

PJ : photocopies des lettres et des réponses

Argent et assurances

Argent, crédit, banques

Le vocabulaire bancaire

Agios : frais bancaires (intérêts débiteurs, commission de découvert, frais d'encaissement, etc.) perçus notamment en cas de découvert et calculés au nombre de jours.

Caution : engagement de s'acquitter d'une obligation (prêt d'argent) si le débiteur s'y soustrait.

Chèque certifié : chèque revêtu par la banque d'une mention certifiant que le compte est bien provisionné.

Découvert : prêt à court terme accordé par une banque au titulaire d'un compte courant.

Mandant : personne qui donne procuration sur un compte bancaire à une autre personne.

Mandataire : personne qui reçoit mandat ou procuration pour agir sur un compte.

RIB : relevé d'identité bancaire. C'est la carte d'identité de votre compte.

TEG : taux effectif global. C'est le taux réel d'un crédit tout compris : intérêts, frais, commissions, etc.

Pour écrire à la banque

La plupart des relations avec les banques se passent de vive voix, et souvent même par téléphone. Dans certains cas, il vaut mieux écrire ou, du moins, confirmer votre entretien par courrier : pour donner un ordre en Bourse, demander une autorisation de découvert, contester un relevé de compte, etc. En cas de perte ou de vol, c'est même indispensable. N'oubliez pas alors de poster votre lettre en recommandé avec avis de réception.

Rappelez toujours :

- *votre nom et votre adresse ;*
- *le numéro de votre compte ;*
- *le cas échéant, la référence de la lettre à laquelle vous répondez ;*
- *le nom de la personne qui s'en occupe, à l'aide de la formule «À l'attention de M. ou [de Mme]... ».*

Catherine Picon
95, avenue Saint-Michel
44000 Nantes
Compte n° 0070 100 7895
Votre réf. : 102655

À l'attention de Mme Guérin
BNP
12, quai de l'Erdre
44000 Nantes

Lundi 12 mai 2003

Madame,

...

■ RELATIONS AVEC LES BANQUES ET AUTRES ORGANISMES FINANCIERS

MODÈLE   **DEMANDE DE PRÊT À UNE BANQUE OU À UN AUTRE ORGANISME DE CRÉDIT**

Madame,

Souhaitant installer une salle de bains dans le pavillon que je possède 12, avenue de la Belle-Arrivée, à Montréal *[Désirant m'acheter un ordinateur portable...]*, j'aurais besoin d'emprunter une somme de 7 650 euros.

Pouvez-vous me consentir un tel prêt sur une durée d'un an *[de 2 à 5 ans...]* ? Et dans quelles conditions ?

Je reste à votre disposition pour vous fournir tout renseignement complémentaire.

Dans l'attente de votre réponse, je vous prie d'agréer, Madame, l'expression de ma considération distinguée.

MODÈLE   **RENONCEMENT À UN CRÉDIT APRÈS L'AVOIR ACCEPTÉ**

Messieurs,

Après avoir demandé un prêt de 7 650 euros sur 2 ans, j'avais accepté votre offre de crédit le 2 mars dernier.

Aujourd'hui, je regrette ma décision et préfère bénéficier du délai légal de rétractation. Veuillez donc l'annuler.

Veuillez agréer, Messieurs, mes salutations distinguées.

MODÈLE   **DEMANDE D'AUTORISATION DE DÉCOUVERT**

Madame,

Le montant de ma prime de fin d'année, soit 3 825 euros, doit être viré sur mon compte le 25 janvier prochain.

Or, d'ici là, je dois régler des dépenses urgentes sous forme de chèque pour un montant global d'environ 2 285 euros.

Mon compte n'étant pas suffisamment approvisionné, je vous demande exceptionnellement de bien vouloir m'autoriser un découvert de 2 285 euros (deux mille deux cent quatre-vingt-cinq euros) jusqu'au 31 janvier.

Si vous en êtes d'accord, je vous serais reconnaissant de bien vouloir me le confirmer par écrit, en m'indiquant précisément les conditions de ce crédit *[et en particulier le taux effectif global]*.

Veuillez agréer, Madame, l'assurance de ma considération distinguée.

MODÈLE **DEMANDE D'OUVERTURE DE COMPTE EN CAS DE REFUS DES BANQUES**

Messieurs,

Je me suis adressé à plusieurs banques afin d'ouvrir un compte, toutes ont refusé. Vous trouverez ci-jointes leurs lettres de refus.

Je vous serais donc reconnaissant de bien vouloir me désigner, le plus rapidement possible, une banque auprès de laquelle je puisse ouvrir un compte.

Dans l'attente de votre réponse, je vous prie d'agréer, Messieurs, l'expression de ma considération distinguée.

PJ : lettres de refus

MODÈLE **REMISE DE CHÈQUES SUR UN COMPTE**

Madame,

Veuillez trouver ci-joints trois chèques à déposer sur mon compte n° 000158 458 798.

Le tout pour un montant de 1 400 euros (mille quatre cents euros).

Avec mes remerciements, je vous prie d'agréer, Madame, l'assurance de ma considération distinguée.

PJ : 3 chèques

MODÈLE **ORDRE DE VIREMENT**

Madame,

Pouvez-vous, je vous prie, virer, à la date du 18 septembre, la somme de 2 285 euros (deux mille deux cent quatre-vingt-cinq euros) de mon compte n° 5686 579 512 sur le compte de Mlle Éliane Béthysy, à l'agence Bellefontaine, 22, avenue Krieg, à Bruxelles *[au compte n° 6935 549 295 que je possède, à l'agence de la Banque du Nord, 25, rue du Maréchal-de-Lattre-de-Tassigny, à Grenoble].*

Vous trouverez ci-joint son *[mon]* relevé d'identité bancaire.

Veuillez agréer, Madame, l'assurance de ma considération distinguée.

PJ : RIB

MODÈLE **ORDRE DE VIREMENT AUTOMATIQUE**

Madame,

Pouvez-vous, je vous prie, effectuer tous les 5 du mois un virement automatique de 105 euros (cent cinq euros) de mon compte n° 9865 587 863 sur le compte de M. Nicolas Rossot, à l'agence AFB, 4, rue de Jouy, Verneuil (78). Et ce à dater du mois de mai prochain. *[Et ce pour une période de six mois, allant du mois de mai prochain au mois d'octobre 2004.]*

Vous trouverez ci-joint le relevé d'identité bancaire de M. Nicolas Rossot.

Veuillez agréer, Madame, l'assurance de ma considération distinguée.

PJ : RIB

Monsieur,

Je vous avais autorisé en mai dernier à effectuer chaque mois un virement bancaire au bénéfice de M. Nicolas Rossot.

Je vous prie de bien vouloir mettre fin à cet ordre de virement automatique mensuel de 105 euros (cent cinq euros) de mon compte n° 9865 587 863 sur le compte n° 5689 654 981 dont il est titulaire à l'agence AFB, 4, rue de Jouy, Verneuil (78). Cette annulation devra prendre effet dès aujourd'hui, 3 juin 2002 *[à la date du 1ᵉʳ octobre prochain...]*.

Veuillez agréer, Monsieur, mes salutations distinguées.

Madame,

J'ai été victime samedi dernier d'un accident de la circulation qui a entraîné mon hospitalisation d'urgence. *[Âgée de 75 ans depuis le mois de mai dernier, j'éprouve de plus en plus de difficulté à me déplacer pour effectuer les actes de la vie quotidienne.]* N'ayant plus la capacité de me rendre à votre agence, je vous serais reconnaissante de bien vouloir accepter la procuration que je donne à mon fils, Adrien Moreau, sur mon compte durant mon immobilisation. *[En conséquence, je vous serais reconnaissante de bien vouloir accepter la procuration ci-jointe donnée à mon fils, Adrien Moreau, sur mon compte. Il pourra ainsi régler en mon nom les démarches et actes bancaires courants.]*

Veuillez agréer, Madame, l'assurance de ma considération distinguée.

PJ : procuration sur le compte

FAC-SIMILÉ PROCURATION SUR UN COMPTE

Je soussignée, Sonia Moreau,

demeurant 12, rue des Pyrénées, à Paris (75020),

titulaire du compte 458 866 95 B au Crédit industriel

(agence 12, rue de Charonne, 75020 Paris),

autorise mon fils Adrien Moreau, né le 4 mai 1955,

demeurant 5, rue des Abattoirs, à Morsang-sur-Seine (91),

à effectuer toutes les opérations nécessaires sur mon compte

désigné ci-dessus.

À Paris, le ...

[Signature du mandataire
à faire précéder de
la mention manuscrite
« Accepté »]

[Signature du mandant
à faire précéder de
la mention manuscrite
« Bon pour pouvoir »]

Madame,

J'avais donné procuration le 12 avril 1999 à M. Éric Mat sur mon compte n° 986 365 87 Z. Pouvez-vous noter qu'à dater de ce jour, 12 juin 2003, je révoque cette procuration et que M. Éric Mat n'a plus aucun pouvoir sur mon compte.

Veuillez agréer, Madame, mes salutations distinguées.

Monsieur,

Je vous confirme avoir téléphoné aujourd'hui, 12 juillet, à 14 h 15, au centre de carte de crédit afin de faire opposition sur ma carte bancaire numéro 8471 5012 6010 6918 que l'on m'a volée avec mon sac *[que je pense avoir perdue]* à l'heure du déjeuner.

Vous trouverez ci-joint le récépissé de ma déclaration de vol *[ou de perte]* à la police.

Veuillez agréer, Monsieur, l'expression de ma considération distinguée.

PJ : récépissé de la déclaration de vol *[ou perte]*

Monsieur,

Comme je vous l'ai signalé par téléphone, je pense m'être fait voler *[avoir perdu]* mon chéquier. Je vous serais reconnaissant d'avertir vos services de cette disparition afin de faire opposition sur tous les chèques portant les numéros 2735021 à 2735040.

Vous trouverez ci-joint le récépissé de ma déclaration de vol *[ou de perte]* à la police.

Veuillez agréer, Monsieur, l'expression de ma considération distinguée.

PJ : récépissé de la déclaration de vol *[ou perte]*

MODÈLE **DEMANDE DE LEVÉE D'UNE INTERDICTION BANCAIRE
POUR CHÈQUE SANS PROVISION**

Messieurs,

Mon compte n° 8418 312 K étant insuffisamment approvisionné, vous avez rejeté le 9 octobre le paiement de mon chèque n° 8863578 et vous m'avez adressé une lettre recommandée m'interdisant de faire de nouveaux chèques et me demandant de vous rendre mon chéquier.

J'ai régularisé ma situation le 18 octobre en réglant en espèces le bénéficiaire du chèque impayé que je vous retourne ci-joint *[en approvisionnant mon compte par virement d'un montant de 760 euros ou en déposant au guichet la somme de ...]*.

En conséquence, je vous prie de bien vouloir lever la mesure d'interdiction bancaire dont je fais l'objet.

Veuillez agréer, Messieurs, mes salutations distinguées.

PJ : chèque

MODÈLE **RÉCLAMATION POUR ERREUR SUR LE RELEVÉ BANCAIRE**

Messieurs,

Sur mon dernier relevé, daté du 17 novembre, je constate que mon compte a été débité de 129 euros pour un chèque n° 4153983 en date du 15 mars. Or je n'ai jamais fait un chèque d'un tel montant.

D'ailleurs, le chéquier que j'utilise actuellement et ceux dont je me suis servi au cours des six derniers mois ne comportent pas ce numéro.

Il doit s'agir d'une confusion avec un autre client de votre établissement.

Vous voudrez bien rectifier cette erreur dans les plus brefs délais *[en créditant mon compte en bonne date de valeur du montant injustement débité]*.

Avec mes remerciements, je vous prie d'agréer, Messieurs, l'expression de ma considération distinguée.

Monsieur,

À l'examen de mon relevé de compte du 15 juin, je m'aperçois que les agios *[le taux effectif global...]* que vous m'avez facturés se montent à 17,15 %.

Ce taux me paraissant plus élevé que celui que vous m'aviez indiqué lors de notre dernier entretien, je vous saurais gré de bien vouloir m'en préciser les modalités de calcul et les justifications.

Dans l'attente de votre réponse, je vous prie d'agréer, Monsieur, l'assurance de ma considération distinguée.

Monsieur,

Je vous confirme mon ordre d'achat ce jour de dix actions de la société Héraclès au prix maximum de 40 euros chacune.

Pour régler le montant de cette opération, vous voudrez bien débiter mon compte n° 589 68 749.

Croyez, Monsieur, à l'assurance de ma considération distinguée.

Madame,

Vous voudrez bien faire virer le solde de mon compte 897 658 967 YZ, soit 220 euros (deux cent vingt euros), sur mon compte ouvert au Crédit industriel sous le n° 912 624 AT (ci-joint un relevé d'identité bancaire).

Je vous serais reconnaissant de procéder à ce virement dans les plus brefs délais, puis de clôturer définitivement mon compte dans votre établissement.

Pour ce qui est de mon chéquier et de ma carte de paiement, je passerai vous les remettre au cours de la semaine prochaine *[je m'engage à les détruire...]*. Ils ne m'ont servi ni l'un ni l'autre depuis plus de trois mois. Vous voudrez bien me rembourser le trop-perçu sur ma cotisation annuelle de carte bleue en fonction du nombre de mois pour lesquels celle-ci est effectivement due.

Veuillez agréer, Madame, mes salutations distinguées.

PJ : RIB

■ PRÊTS ET DONS ENTRE PARTICULIERS

MODÈLE **DEMANDE DE PRÊT D'ARGENT**

Ma Chère Carine,

Si je t'écris aujourd'hui, c'est pour te demander un service. Je traverse actuellement de graves difficultés financières. Depuis que la société où je travaillais a déposé son bilan, je n'ai pas encore touché d'allocations de chômage. *[François ne m'a pas versé ma pension alimentaire depuis plus de cinq mois...]*

Pourrais-tu me prêter 760 euros ? Bien entendu, je te signerai une reconnaissance de dette et je te rembourserai dès que j'aurai touché mes indemnités de licenciement *[ma pension...]*, au plus tard d'ici à deux ou trois mois *[d'ici au 30 juin...]*.

Dis-moi franchement si cela t'est possible sans trop de difficulté. Sinon, je comprendrai parfaitement et chercherai une autre solution. C'est d'ailleurs pourquoi j'ai préféré t'écrire afin de te laisser le temps de la réflexion.

Je t'embrasse.

MODÈLE **ACCEPTATION DE PRÊT D'ARGENT**

Mon Cher Laurent,

Ta lettre m'est parvenue ce matin et j'y réponds aussitôt. Bien sûr, tu peux compter sur moi.

Envoie-moi vite ton relevé d'identité bancaire afin que je donne le plus rapidement possible l'ordre de virement sur ton compte.

[Je t'envoie ci-joint le chèque de 1 500 euros que tu me demandes.]

Comme tu me le proposes *[Si cela ne t'ennuie pas]*, j'accepte ta reconnaissance de dette. Ce sera plus clair entre nous *[Mais il est inutile que tu me signes une reconnaissance de dette, j'ai parfaitement confiance en toi...].*

Je t'embrasse *[Avec ma fidèle amitié].*

[PJ : chèque]

MODÈLE   **REFUS DE PRÊT D'ARGENT**

Ma Chère Virginie,

Tu me vois vraiment désolé*[e]* de ne pouvoir te rendre le service que tu me demandes. Mais je suis moi-même actuellement dans une situation financière difficile. *[Nous avons subi ces derniers temps de lourdes pertes avec la concurrence du nouveau magasin qui s'est installé à quelques pas d'ici...]*

J'espère que tu vas trouver rapidement une solution à ton problème.

Je t'embrasse avec toute mon amitié *[affection...].*

MODÈLE   **REMERCIEMENTS POUR UN PRÊT D'ARGENT**

Ma Chère Carine,

Comment te remercier ? Ton aide m'enlève bien des soucis. Ton chèque vient de me parvenir avec ton petit mot si affectueux, si encourageant ! Sentir que je peux compter à la fois sur ton aide et sur ton affection m'a profondément émue...

[Je t'envoie une reconnaissance de dette.] Je te rembourserai dès que j'aurai touché mes indemnités de licenciement *[dès que j'aurai touché ma pension alimentaire...].*

Ma Chère Carine, merci encore de ta gentillesse.

Bien affectueusement.

[PJ : reconnaissance de dette]

MODÈLE **RECONNAISSANCE DE DETTE**

Je soussigné, Laurent Tellier, reconnais avoir reçu de
M. Édouard Driard la somme de 4 200 euros (quatre mille deux
cents euros) le 18 juillet 2002. Je m'engage à rembourser ce prêt au
plus tard le 18 janvier 2005 avec un intérêt de 10 % l'an.
Strasbourg, le 23 juillet 2002.

[signature]

MODÈLE **RECONNAISSANCE DE DETTE PRÉCISANT LES CONDITIONS DE REMBOURSEMENT**

M. Frédéric Fassois, demeurant 12, rue de l'Arc, à Annecy (74),
reconnaît avoir reçu ce jour de M. Luc Gall, demeurant 15, rue
Taine, à Annecy (74), un prêt de 7 000 euros (sept mille euros)
par chèque sur le compte du Crédit agricole n° 5244046.

Ce prêt d'une durée de cinq ans portera un intérêt de 10 %
(dix pour cent) l'an.

Le remboursement devra s'effectuer par fractions de
1 400 euros, plus les intérêts correspondants, au plus tard
le 31 décembre de chaque année.

À Annecy, le ...

Lu et approuvé   Lu et approuvé
Frédéric Fassois   Luc Gall
[signature]   *[signature]*

MODÈLE **LETTRE DE CAUTION POUR UN PRÊT ENTRE PARTICULIERS**

Je soussignée, Élisabeth Métry-Picot, demeurant 61, boulevard
Saint-Jacques, à Toulouse (31), déclare me porter garante de
Francis Picot, demeurant 6, rue des Plantes, à Paris (75014),
à concurrence de 1 220 euros (mille deux cent vingt euros).

Fait à Toulouse, le ...   Élisabeth Métry-Picot
                                 [signature]

Cher Éric,

Nous étions convenus que je devais te rembourser au plus tard à la fin de décembre les 1 830 euros que tu m'as prêtés.

Je pensais effectivement pouvoir régler ma dette grâce à ma prime de fin d'année *[grâce à la vente d'un meuble...]*. Malheureusement, les affaires ayant été très mauvaises, je ne toucherai pas de prime cette année *[la vente aux enchères a été désastreuse et ma table n'a pas trouvé acheteur]*.

Te serait-il possible de m'accorder un délai supplémentaire de deux mois ? Je suis en effet sûr de pouvoir te rembourser fin février.

Dis-moi franchement si cela te met dans la gêne, auquel cas je me débrouillerai pour trouver malgré tout cet argent au plus tôt.

Bien amicalement.

Chère Marie,

Tu me places vraiment dans une situation gênante ! Tu sais bien que, lorsque je t'ai prêté 760 euros il y a six mois, j'ai insisté pour que tu me les rembourses au plus tard le 15 janvier.

J'étais ravie de pouvoir te rendre service dans la mesure où je disposais alors de cette somme. Mais je t'avais expliqué que cet argent me serait absolument nécessaire le 15 janvier pour régler mes impôts.

Or nous voilà le 25 janvier et je n'ai toujours rien reçu de toi.

Peux-tu avoir la gentillesse de m'envoyer un chèque sans plus attendre ou de faire virer la somme sur mon compte (je t'envoie mon relevé d'identité bancaire) ? De toute façon téléphone-moi ou laisse un message sur le répondeur, que je sois rapidement rassurée.

J'espère que tu ne m'en voudras pas d'être aussi pressante, mais je suis vraiment dans la gêne à mon tour.

Amitiés.

PJ : RIB

MODÈLE CIRCULAIRE POUR DEMANDER UN DON D'ARGENT

Chers amis,

Vous savez tous que Mathilde Terron est actuellement dans une situation extrêmement difficile. Son compagnon a disparu sans laisser d'adresse et elle se retrouve seule avec la charge de leur petite fille, hospitalisée depuis deux mois par suite d'un très grave accident de voiture.

Les médecins consultés estiment que les meilleurs chirurgiens susceptibles d'opérer l'enfant se trouvent à Lyon. Mais Mathilde est, bien évidemment, dans l'incapacité d'assumer les frais correspondants.

Nous avons donc pensé nous réunir pour rassembler la somme nécessaire au transport de l'enfant par avion, à son hospitalisation et au séjour de sa mère à ses côtés.

D'après nos estimations, il faudrait pour cela recueillir environ 3 050 euros, soit 30 à 75 euros par personne contactée.

Si vous souhaitez participer à cette action, adressez vos dons à Valérie Dreou, 54, rue Daumesnil à Paris (75012), qui se chargera de transmettre la somme recueillie à Mathilde Terron.

Merci de ce que vous pourrez faire.

Bien amicalement.

Assurances

Pour écrire à son assureur

Pour déclarer un accident ou signaler un changement, vous pouvez téléphoner à votre assureur afin de l'informer au plus tôt. Mais confirmez toujours le contenu de votre entretien téléphonique par courrier. Pour toute correspondance importante (déclaration de sinistre ou d'aggravation de risque, résiliation de contrat, litige, etc.), postez votre lettre en recommandé avec avis de réception. Conservez toujours un double de votre lettre. Et joignez à votre courrier les photocopies des pièces justificatives : rapport d'expert, témoignages, etc.

Rappelez toujours :
* vos nom et adresse ;
* le numéro de votre police d'assurance ;
* les références de la lettre à laquelle vous répondez et les références du dossier concerné ;
* le nom de la personne responsable de votre dossier, à l'aide de la formule «À l'attention de M. [de Mme]».

François Despierres
15, rue des Lilas
92400 Courbevoie
Police n° 25 772 85
Votre réf. : 11 00004221/83/42

À l'attention de M. Pichot
C.A.I.P. La Lyonnaise
125, avenue de Lille
92300 Levallois

Courbevoie, le 4 février 2003

Monsieur,
...

Le vocabulaire des assurances

Avenant : écrit apportant des modifications aux conditions (clauses) du contrat.

Clause : condition particulière fixée par le contrat.

Police : contrat d'assurance.

Préjudice : tort, dommage.

Prime : somme due chaque année par l'assuré à l'assureur, en vertu de sa police.

Résilier : mettre fin.

Sinistre : événement qui se traduit par des pertes et/ou des dommages pour des personnes et/ou des objets assurés.

Tacite reconduction : renouvellement automatique d'année en année tant qu'on n'écrit pas pour mettre fin au contrat ou pour le modifier.

■ DÉCLARATION DE SINISTRE

| **MODÈLE** | **DÉCLARATION D'INCENDIE** |

Messieurs,

J'ai le regret de vous informer que notre cuisine a été ravagée par le feu la nuit dernière, 12 février. Grâce à l'intervention rapide des pompiers, le reste de l'appartement n'a pas été touché. La police est venue sur les lieux mais n'a pu déterminer les causes de l'incendie.

La pièce est totalement dévastée et les appareils ménagers qui s'y trouvaient sont très endommagés. Je vous serais donc reconnaissant[e] de demander à votre expert de passer le plus rapidement possible afin qu'il chiffre le montant des dommages.

Vous pouvez me joindre dans la journée à mon bureau au 01 45 20 12 10, poste 32 24.

Croyez, Messieurs, à l'assurance de ma considération distinguée.

FAC-SIMILÉ DÉCLARATION DE DÉGÂT DES EAUX

Georges Dubois
56, rue des Marguerites
35000 Rennes
Police n° 36 598 65
Votre réf. : 32 45986215/69/23

À l'attention de M. Martin
C.A.I.P. La Reprise
32, avenue de la Mer
35000 Rennes

Lettre recommandée avec AR

Monsieur,

Je vous signale que la rupture du tuyau d'eau chaude de ma baignoire a entraîné une fuite d'eau dans ma chambre *[et dans celle du locataire de l'appartement de l'étage au-dessous, M. Pascal Boyer]*.

L'incident s'est produit lundi 21 février dans l'après-midi et, dès que j'ai été prévenu, par un appel à mon bureau, j'ai fait venir le plombier. Celui-ci a aussitôt réparé la canalisation, comme en témoigne sa facture dont je vous adresse la photocopie. Mais l'eau avait coulé sous la porte et abîmé la moquette de ma chambre *[ainsi que le plafond et un mur de l'appartement de mon voisin du dessous]*.

[Vous trouverez ci-joint le constat de dégâts des eaux que nous avons signé ensemble.] J'émets d'ores et déjà toutes réserves sur d'autres dommages non encore décelés à ce jour.

Je suis à votre disposition pour recevoir votre expert s'il désire se rendre sur place. *[Le numéro de téléphone de bureau de M. Pascal Boyer est le 02 35 04 20 00.]*

Dans l'attente de votre réponse, je vous prie d'agréer, Monsieur, l'assurance de ma considération distinguée.

[signature]

PJ : photocopie de facture et constat de dégâts des eaux

Monsieur,

Le chien de M. Jean-François Despois, mon voisin, demeurant 12, impasse Moderne, à Annecy (74), a mordu, hier 15 avril, mon fils Sylvain. Celui-ci, blessé à la joue, à proximité de la bouche, a dû être transporté d'urgence à l'hôpital où il est encore en observation.

Sylvain, âgé de deux ans, jouait tranquillement dans notre jardin quand le chien, qui s'était échappé, a voulu lui prendre sa balle. C'est en résistant que mon fils s'est fait mordre par l'animal. Heureusement, ma fille aînée, qui a entendu les cris de son petit frère, est arrivée rapidement et a réussi à faire fuir le chien. Sylvain est très traumatisé.

Pour le moment, M. Despois n'a pas voulu reconnaître sa responsabilité.

Pouvez-vous me dire si mon assurance multirisque (n° 895 67 48 BN) garantit ce type d'accident ou si elle m'assure la protection juridique en cas de litige avec la personne responsable ? Dans l'un ou l'autre cas, quelles sont les démarches que je dois entreprendre ?

Vous trouverez ci-joint le témoignage de Mlle Francine Firtel, qui a vu la scène de sa fenêtre. Je vous joins également le certificat du médecin de l'hôpital précisant la nature des blessures et leur évolution prévisible.

Dans l'attente de votre réponse, je vous prie d'agréer, Monsieur, l'assurance de ma considération distinguée.

PJ : témoignage et certificat médical

Je soussignée, Francine Firtel, née le 3 mai 1950, demeurant 11, impasse Moderne, à Annecy (74), certifie avoir vu le chien de M. Jean-François Despois, demeurant 12, impasse Moderne, à Annecy (74), mordre le petit Sylvain Barrichou.

Hier, 15 avril, vers 17 heures, j'étais en train d'arroser mes plantes sur mon balcon quand j'ai vu le chien de M. Despois s'échapper de chez lui et pénétrer dans le jardin de M. Barrichou. L'animal a essayé d'attraper la balle du petit Sylvain qui jouait tranquillement. Et, comme l'enfant ne voulait pas lâcher son jouet, le chien l'a mordu. L'enfant a hurlé, sa sœur est arrivée et le chien s'est enfui vers la rue.

Fait à Annecy, le 16 avril 2002.

[signature]

MODÈLE **DÉCLARATION DE VOL**

Messieurs,

Des cambrioleurs se sont introduits chez moi dans la journée du 2 avril, alors que j'étais à mon bureau. Ils ont forcé la porte et, malgré l'alarme, ils ont emporté un certain nombre d'objets de valeur. Dès mon retour, vers 19 heures, j'ai fait venir la police, qui a établi un constat d'effraction.

Vous trouverez ci-joints le récépissé du dépôt de plainte, les photographies des objets volés et la copie de leur expertise, établie par Maître Peignot, ainsi que la copie de la facture du serrurier.

Je vous prie donc de bien vouloir m'indemniser comme le prévoit mon contrat d'assurance vol n° 963725. Et je reste à votre disposition pour tout renseignement complémentaire dont vous pourriez avoir besoin.

Veuillez agréer, Monsieur, l'expression de ma considération distinguée.

PJ : récépissé du dépôt de plainte, photographies et expertises des objets volés, et photocopie de la facture du serrurier

■ DEMANDE D'ASSURANCE

LETTRE DE CONFIRMATION À UN ASSUREUR

Madame,

Suite à notre entretien téléphonique, je vous prie de bien vouloir assurer mon appartement à usage d'habitation *[à usage professionnel]*, situé 20, avenue Ulysse (deuxième étage à droite), à Bruxelles, à partir de ce jour.

Je suis propriétaire *[locataire]* de cet appartement qui comporte cinq pièces pour une surface de 106 m², plus une cave et un parking. *[Il dispose de portes blindées et de volets de sécurité.]* J'estime la valeur totale du contenu à 38 000 euros *[121 950 euros]*.

Je reste à votre disposition pour tout renseignement complémentaire ou pour vous le faire visiter. Vous pouvez me joindre à mon bureau du lundi au vendredi de 9 heures à 17 heures (Tél. : 2 240 95 23, poste 32 34).

Veuillez agréer, Madame, l'expression de ma considération distinguée.

■ DEMANDE D'INFORMATIONS

DEMANDE D'INFORMATIONS SUR LA GARANTIE « RESPONSABILITÉ CIVILE »

Madame,

J'ai souscrit *[contracté]* auprès de votre compagnie une assurance responsabilité civile chef de famille n° 289742. Or l'association de parents d'élèves du collège Jules-Ferry me conseille de prendre une assurance scolaire pour mon fils.

Afin de savoir si ces deux assurances sont complémentaires ou si elles couvrent les mêmes risques, pouvez-vous me préciser quelles sont, en ce qui concerne mes enfants, les garanties figurant dans mon contrat responsabilité civile.

En particulier :

– Mon assurance responsabilité civile couvre-t-elle les accidents causés à (ou par) mes enfants à l'école, sur le trajet, à la maison et en vacances ?

– Quel est le montant de la garantie ? Celle-ci s'ajoute-t-elle à celle de l'assurance scolaire ou fait-elle double emploi avec elle ?

– Mon assurance responsabilité civile couvre-t-elle les accidents causés par mes enfants en bicyclette ? en vélomoteur ? dans la pratique des sports ? Et, si oui, quels sont les sports couverts par l'assurance et ceux qui en sont exclus ?

Je vous remercie de ces informations et vous prie d'agréer, Madame, l'expression de ma considération distinguée.

MODIFICATION DE CONTRAT

MODÈLE **DEMANDE SUR L'AGGRAVATION DU RISQUE**

Madame,

Les travaux que j'ai entrepris dans mon pavillon, 5, place Saint-Lambert, à Lamotte-Beuvron (41), ont porté la surface habitable de celui-ci de 85 m^2 à 110 m^2. Cette maison comporte désormais six pièces principales et non plus quatre.

Pouvez-vous modifier en conséquence mon contrat multirisque habitation [*multirisque professionnel*] n° 197845 et m'en expédier un exemplaire.

Si vous désirez envoyer un expert sur place, je suis à sa disposition pour prendre rendez-vous. Il peut me joindre aux heures de bureau au 02 54 12 24 38.

Veuillez agréer, Madame, l'expression de ma considération distinguée.

AR

DEMANDE DE DIMINUTION DU RISQUE

Monsieur,

J'avais souscrit auprès de votre compagnie une assurance spéciale objets d'art n° 547A10 garantissant une collection d'armes et divers autres objets mobiliers que je possédais dans mon appartement situé 25, rue de Tolbiac, 75013 Paris.

Or hier, 6 mars, j'ai vendu à un antiquaire ces armes de collection. Je vous prie de revoir en conséquence le montant de mon assurance. L'expertise que je vous avais communiquée, et à partir de laquelle vous aviez établi la prime, en fixait la valeur à 10 650 euros.

Vous voudrez bien également me rembourser le montant de prime correspondant au temps restant à courir jusqu'à l'échéance.

Je reste à votre disposition pour tout renseignement complémentaire, et vous prie d'agréer, Monsieur, mes salutations distinguées.

■ RELANCES, CONTESTATION

RELANCE D'UNE DEMANDE D'EXPERTISE
AVANT D'ENGAGER LES TRAVAUX

Monsieur,

Par ma lettre du 20 mai, je vous signalais les importants dégâts des eaux sur les murs de ma chambre à la suite de violents orages.

Vous m'avez demandé, avant toute indemnisation, de faire réparer la toiture par le plombier de l'immeuble. Il a remis en place les tuiles déplacées, comme en témoigne la photocopie de sa facture que je vous ai adressée le 2 juin.

Depuis lors, et malgré mes relances téléphoniques, votre expert n'est toujours pas venu pour constater les dégâts causés par l'eau sur le mur. Pouvez-vous insister pour obtenir son passage au plus vite ou m'autoriser à faire réparer les dégâts de peinture par mon entrepreneur, dont je vous adresse le devis ci-joint ?

Dans l'attente de votre réponse, je vous prie de croire, Monsieur, à l'expression de ma considération distinguée.

PJ : devis

MODÈLE RELANCE D'UNE DEMANDE D'INDEMNISATION

Madame,

Par ma lettre du 13 juillet 2004, je vous ai déclaré que j'avais été victime d'un accident trois jours auparavant.

Deux mois plus tard, le 10 septembre, je vous ai adressé un nouveau courrier recommandé comportant un dossier justifiant ma demande de remboursement des frais et de versement d'une indemnité pour le préjudice que j'ai subi.

Depuis lors, l'expert est passé et a dû établir son rapport. Or, malgré mes multiples relances par téléphone, vous ne m'avez toujours pas fait d'offre d'indemnisation.

Je vous prie donc d'examiner mon dossier dans les plus brefs délais afin de m'indemniser sans tarder.

Dans l'attente de votre réponse, je vous prie d'agréer, Madame, l'expression de ma considération distinguée.

MODÈLE CONTESTATION D'UNE PROPOSITION D'INDEMNISATION

Madame,

Je viens de prendre connaissance de votre offre d'indemnisation pour le préjudice que j'ai subi à la suite de l'accident du 21 juin 2003.

Cette offre me paraît tout à fait insuffisante étant donné les séquelles dont je souffre. J'ai conservé une raideur dans les doigts ce qui est un handicap sérieux pour mon travail sur ordinateur.

En conséquence, je refuse cette proposition et je vous demande une contre-expertise.

Veuillez agréer, Madame, l'expression de ma considération distinguée.

■ RÉSILIATION D'UNE ASSURANCE

MODÈLE   **RÉSILIATION D'UNE ASSURANCE EN COURS DE CONTRAT**

Madame,

Ayant acheté une maison à Verrières-le-Buisson, je compte m'y installer prochainement et quitterai donc l'appartement que j'occupais, 33, rue des Abbesses, à Paris (75018).

Par conséquent, je vous prie de résilier l'assurance multirisque habitation, souscrite auprès de votre compagnie, qui couvrait cet appartement, et ce à dater du 12 juillet 2004.

Vous voudrez bien également me rembourser le plus rapidement possible le montant de la prime correspondant à la période restant à courir jusqu'à l'échéance.

Croyez, Madame, à l'assurance de ma considération distinguée.

MODÈLE   **RÉSILIATION D'UNE ASSURANCE PAR SUITE DE HAUSSE ABUSIVE DE LA PRIME**

Monsieur,

En regardant l'avis d'échéance de mon assurance multirisque habitation *[automobile...]*, je constate que vous avez augmenté ma prime de 130 euros, soit une hausse de plus de 15 % pour l'année d'assurance.

Une telle augmentation n'étant aucunement justifiée, je la refuse et vous prie de bien vouloir résilier ma police n° 886521DR.

Pouvez-vous m'envoyer une lettre de confirmation de cette résiliation et m'indiquer le montant de la prime à payer pour la période restant à courir entre la réception par vos services de ma lettre recommandée et la date d'effet de la résiliation.

Je vous prie de croire, Monsieur, à l'expression de ma considération distinguée.

MODÈLE **RÉSILIATION D'UNE ASSURANCE À LA DATE D'ÉCHÉANCE**

Monsieur,

Je vous informe de mon intention de mettre fin à mon contrat d'assurance n° 623738, à sa date d'échéance, soit le 24 mai 2002.

Je vous remercie de bien vouloir me donner confirmation de cette résiliation.

Croyez, Monsieur, à l'expression de ma considération distinguée.

MODÈLE **RÉSILIATION D'UNE ASSURANCE À LA SUITE DE LA DISPARITION DU RISQUE**

Monsieur,

La très violente crue de la Meuse, dans la nuit du 12 mars, a emporté la petite maison que nous possédions à proximité et que nous louions à des vacanciers. Ce bâtiment était assuré contre les dégâts des eaux par la police n° 873947.

Nous n'avons pas l'intention de le reconstruire avant deux ou trois ans pour des raisons personnelles. *[Nous n'avons pas l'intention de le reconstruire car notre terrain est trop souvent inondé...]* En conséquence, nous vous prions de bien vouloir résilier ce contrat d'assurance et nous rembourser le montant de prime correspondant.

Croyez, Monsieur, à l'assurance de notre considération distinguée.

Impôts

Pour écrire aux services des impôts

Pour toutes les réclamations, demandes de délai de paiement, de diminution ou de suppression d'impôts ou de pénalités, etc., joignez une copie de votre avis d'imposition ainsi que les pièces justificatives s'il y a lieu : photocopie du livret de famille, certificat de scolarité des enfants, lettre de licenciement, etc.

Rappelez toujours :

- *votre nom et votre adresse ;*
- *le cas échéant, la référence de la lettre à laquelle vous répondez ;*
- *votre numéro fiscal (vous le trouverez sur votre formulaire de déclaration des revenus en bas de la première page) ;*
- *le titre et/ou le nom de la personne à qui vous adressez votre courrier.*

François Despierres
15, rue des Lilas
92400 Courbevoie
Votre réf : Z 89332 F
N° fiscal : 0175878621 402 C

Monsieur le chef du centre des impôts
5, rue Blanche
93004 Les Lilas

18 octobre 2003

Monsieur,

...

Le vocabulaire des services des impôts

Abattement : réduction de la somme sur laquelle est calculé l'impôt.

Assiette : base de calcul de l'impôt.

Avoir fiscal : crédit d'impôt.

Dégrèvement : diminution du montant de l'impôt.

Exonération : dispense d'imposition totale ou partielle.

Prélèvement libératoire : pourcentage forfaitaire prélevé par l'État sur les revenus d'obligations, de sicav, etc., et qui les libère de l'impôt.

Recouvrement : perception des sommes dues.

Rôle : registre où sont inscrits les contribuables, leurs revenus et leurs impôts.

Tiers provisionnel : acompte sur les impôts à verser, fixé forfaitairement au tiers des impôts de l'année précédente.

TVA : taxe sur la valeur ajoutée.

■ DEMANDE DE DÉLAI DE PAIEMENT

MODÈLE DEMANDE D'UN DÉLAI

Monsieur,

La société Caber, dans laquelle j'étais salarié*[e]*, ayant déposé son bilan le 14 juin de cette année et les premières allocations chômage ne devant m'être versées que d'ici à trois mois, je suis actuellement dans l'incapacité de payer mon premier tiers provisionnel.

Je vous serais donc très reconnaissant*[e]* de bien vouloir m'accorder un délai de paiement de trois mois.

Vous trouverez ci-joints la photocopie de mon avis d'imposition, les lettres du syndic de faillite confirmant la liquidation de la société Caber et de mon licenciement, ainsi que mes derniers relevés de compte bancaire.

Je vous remercie de votre compréhension, et vous prie d'agréer, Monsieur, l'assurance de ma considération distinguée.

PJ : photocopie de l'avis d'imposition, lettre du syndic de faillite, lettre de licenciement et derniers relevés de compte bancaire

---

MODÈLE **RENONCIATION À LA MENSUALISATION DE L'IMPÔT**

Monsieur,

J'ai signé un contrat de mensualisation du paiement de l'impôt sur le revenu sous le n° 9212.

Or j'ai décidé de renoncer à ce système de paiement mensuel et vous demande de m'appliquer à nouveau le système traditionnel des tiers provisionnels. Vous voudrez donc bien interrompre les prélèvements sur mon compte bancaire *[ou Mes revenus étant inférieurs à ceux de l'année précédente, j'ai calculé que l'impôt ne s'élèverait qu'à 185 euros. Je vous prie donc d'interrompre provisoirement les prélèvements mensuels à partir du mois de juin lorsque leur total aura atteint le montant prévisible de mon impôt].*

Veuillez agréer, Monsieur, l'expression de ma considération distinguée.

DEMANDE DE REMISE OU D'EXONÉRATION D'IMPÔTS

Monsieur,

Je viens de recevoir un avis d'imposition que je suis dans l'incapacité totale de payer, car ma situation financière est actuellement catastrophique.

Ayant été licencié pour raisons économiques le 8 avril dernier, je ne perçois que 840 euros mensuels d'allocations chômage *[ou Mon mari est malade depuis trois mois et ne touche qu'une indemnité mensuelle de ... euros]*. Or le loyer de mon appartement s'élève à 425 euros par mois et j'ai deux enfants à charge.

C'est pourquoi je vous serais très reconnaissant*[e]* de bien vouloir m'accorder une remise gracieuse partielle *[ou totale]* *[la suppression ou, du moins, une diminution...]* de cet impôt.

Vous trouverez ci-joints des copies de l'avis d'imposition et des documents justifiant ma situation, mes revenus et mes charges.

Je vous remercie de votre compréhension et vous prie d'agréer, Monsieur, l'expression de ma considération distinguée.

PJ : photocopie de l'avis d'imposition et pièces justificatives

Monsieur,

Par suite d'hospitalisation *[du décès de ma femme...]*, je n'ai pas pu acquitter mon tiers provisionnel *[ma taxe d'habitation...]* à temps.

Je vous adresse ci-joint le chèque correspondant à ce montant. Mais, étant donné les raisons qui m'ont empêché d'effectuer ce paiement dans les délais voulus, je vous serais reconnaissant*[e]* de ne pas m'imposer la majoration de retard de 10 %.

Vous trouverez ci-joint le bulletin de situation remis par

l'hôpital indiquant la durée de mon hospitalisation *[un certificat de décès de ma femme...]*.

Je vous remercie d'avance de votre compréhension et vous prie d'agréer, Monsieur, l'assurance de ma considération distinguée.

PJ : chèque et bulletin de situation *[certificat de décès]*

MODÈLE   **DEMANDE D'EXONÉRATION DE LA REDEVANCE TV**

Monsieur,

Étant âgé*[e]* de 65 ans, vivant seul*[e]* et n'étant pas soumis*[e]* à l'impôt sur le revenu ni à l'impôt sur la fortune, je demande à bénéficier de l'exonération de la redevance TV, comme je pense en avoir le droit.

Vous trouverez ci-jointes la photocopie de l'avis de redevance que j'ai reçu ainsi que les pièces justifiant de ma situation.

Veuillez agréer, Monsieur, l'assurance de ma considération distinguée.

PJ : photocopie de l'avis de redevance et pièces justificatives

---

MODÈLE   **DEMANDE D'EXONÉRATION DE LA TAXE D'HABITATION**

Messieurs,

Ma femme vient d'avoir 60 ans et j'en ai 63. Nous vivons seuls et ne sommes soumis ni à l'impôt sur le revenu ni à l'impôt sur la fortune. C'est pourquoi je vous demande de bien vouloir nous accorder l'exonération de la taxe d'habitation, à laquelle, je crois, nous avons droit.

Vous trouverez ci-jointes les pièces justifiant de notre situation.

En vous remerciant, je vous prie d'agréer, Messieurs, l'assurance de ma considération distinguée.

PJ : pièces justificatives

■ DEMANDE DE RENSEIGNEMENTS

Monsieur,

Malgré une lecture attentive de la notice explicative pour remplir la déclaration de revenus, j'ai quelque difficulté à la comprendre. Je vous écris donc pour vous demander des renseignements.

J'ai touché cette année des commissions pour avoir joué, grâce à mes relations, le rôle d'intermédiaire dans la vente de compteurs d'eau à l'étranger. Pouvez-vous me préciser sous quelle rubrique je dois les déclarer ? Quels sont les frais que je peux déduire ? Est-il possible d'étaler sur plusieurs années l'imposition sur ces rentrées, relativement importantes mais tout à fait exceptionnelles ?

Vous remerciant à l'avance de votre réponse, je vous prie d'agréer, Monsieur, l'expression de ma considération distinguée.

Monsieur,

Ma mère, ayant souffert d'un grave accident, est titulaire depuis six mois d'une carte d'invalidité à 90 %. Je suis venu[e] habiter dans son appartement afin de m'occuper d'elle, mais je n'ai moi-même que très peu de revenus, car je suis actuellement au chômage.

Pouvez-vous me dire si nous remplissons les conditions pour être exonéré[e]s de la taxe foncière et de la taxe d'habitation ?

Vous trouverez ci-jointes les pièces justifiant de notre situation.

Veuillez agréer, Monsieur, l'expression de ma considération distinguée.

PJ : pièces justificatives

■ RÉCLAMATIONS

MODÈLE **RÉCLAMATION CONTRE UNE ERREUR D'IMPOSITION**

Monsieur,

Après avoir lu attentivement mon avis d'imposition sur le revenu pour l'année 2004, dont je vous joins la copie, il me semble que celui-ci comporte une erreur.

En effet, notre quotient familial devrait s'élever à 2,5, et non à 2, par suite de la naissance de notre 3ᵉ enfant le 15 décembre 2002 [*En effet, vos services ont oublié de déduire du montant de mes revenus la pension alimentaire versée à mon fils majeur étudiant...*].

Je vous serais donc reconnaissant de bien vouloir rectifier cette erreur et ne pas exiger d'ici là le paiement de la somme contestée.

Dans l'attente de votre réponse, je vous prie d'agréer, Monsieur, l'expression de ma considération distinguée.

PJ : photocopie de l'avis d'imposition

MODÈLE **CONTESTATION D'UNE MAJORATION**

Monsieur,

Vos services m'ont adressé une lettre de rappel d'impôt de 740 euros avec majoration de 10 %, soit 74 euros.

Or, ayant emménagé à Lille le 15 juillet 2002, j'ai versé mes deux premiers acomptes provisionnels à la perception de mon ancien domicile, à Baugé (49), dans les délais réglementaires (ci-jointes copies des demandes d'acompte avec mention du numéro et de la date des chèques).

Je pense donc que le retard que vous me reprochez est en réalité attribuable au délai de transfert de mon dossier de Baugé à Lille.

En vous remerciant de bien vouloir réexaminer ma situation, je vous prie d'agréer, Monsieur, mes salutations distinguées.

PJ : photocopies des demandes d'acompte

Langue
française

■ FAUTES COURANTES À ÉVITER

N'écrivez pas	Écrivez
la sœur **à** Patrick	la sœur **de** Patrick
compteur **à** gaz	compteur **de** gaz
partir **à** Marseille	partir **pour** Marseille
deux **à** trois personnes	deux **ou** trois personnes
il **s'en est** accaparé	il l'**a** accaparé(e)
à ce qu'il paraît que	**il paraît** que
de manière, de façon **à ce que**	de manière, de façon **que**
s'attendre (consentir, aimer, demander) **à ce que**	s'attendre (consentir, aimer, demander) **que**
faire attention **à ce que**	faire attention **que**, faire attention **à** ou **de**
un magasin bien **achalandé**	un magasin bien **approvisionné**
j'**acquerre**	j'**acquiers**
par **acquis** de conscience	par **acquit** de conscience
avoir **à faire à**	avoir **affaire à**
à force, on finit par	**à la longue**, on finit par
avoir **forte affaire**	avoir **fort à faire**
agoniser quelqu'un d'injures	**agonir** quelqu'un d'injures
ainsi donc, ainsi par conséquent	**ainsi** (ou **donc** ou **par conséquent**)
ainsi par exemple	**par exemple** (ou **ainsi**)
à l'intention de	**à l'attention** de
aller **au** dentiste	aller **chez le** dentiste
aller sur ses vingt ans	**avoir bientôt** vingt ans
je **me suis en** allé	je **m'en suis** allé
j'**ai été**	je **suis allé**
hésiter **entre deux alternatives**	hésiter **devant une alternative, entre deux partis**
la **deuxième alternative**	la **deuxième éventualité** (ou « seconde » s'il n'y en a que deux)
amener quelque chose	**apporter** quelque chose (qu'on porte !)
il m'**est apparu** sérieux	il m'**a paru** sérieux
en colère (furieux) **après** quelqu'un	en colère (furieux) **contre** quelqu'un
il **a demandé après toi**	**il t'a demandé(e)**
il **m'a couru** après	il a couru **après moi**
le jour (le mois) **après**	le jour (le mois) **d'après**
les roues **arrières**	les roues **arrière**
il **n'arrête pas** de parler	il **ne cesse pas** de parler

N'écrivez pas	Écrivez
il **n'arrive pas vite**	il **tarde à venir**
dans l'attente de **vous lire**	dans l'attente de **votre réponse**
attraper une maladie	**contracter** une maladie
au jour d'aujourd'hui	**à ce jour**
au point de vue affaires	**en ce qui concerne** les affaires
aussi curieux que cela paraisse	**si** curieux que cela paraisse
aussitôt mon arrivée	**dès** mon arrivée
arriver **avec** le train de 7 heures	arriver **par** le train de 7 heures
s'avérer faux	**se révéler (apparaître)** faux
la nouvelle **s'avère** exacte	la nouvelle **est** exacte
se **baser** sur	se **fonder** sur (s'**appuyer** sur)
à cinq heures **battant**	à cinq heures **battantes**
j'ai cassé mon bras	**je me suis cassé le** bras
dans le but de	**pour** (ou **dans le dessein** de)
poursuivre un but	**tendre vers** un but, **le but est de**
remplir un but	**atteindre** un but
il ne faut **rien bouger**	il ne faut **rien déplacer**
si **ça** vous fait plaisir	si **cela** vous fait plaisir
car en effet	**car** (ou **en effet**)
en **tous cas**	en **tout cas**
être **catastrophé**	être **bouleversé**
peu **causant**	peu **bavard**
causer de	**parler** de
causer à	**causer avec** (ou **parler à**)
ceci dit	**cela** dit (rappelle ce qui précède)
dites **cela :**	dites **ceci :** (annonce ce qui va suivre)
celui vendu hier	**celui qui** a été vendu hier
ce n'est pas que je suis	**ce n'est pas que je sois**
à six **du cent**	à six **pour cent**
ce que tu es gentil	**comme** tu es gentil
ce qui faut	**ce qu'il faut**
à chaque fois, **à** chaque fois que	chaque fois, chaque fois que
chercher **un alibi**	chercher **une excuse**
Cher Monsieur **Dupont**	Cher Monsieur
chercher **après** quelqu'un ou quelque chose	chercher quelqu'un ou quelque chose
clarifier la situation	**éclaircir** la situation
clôturer un débat (un compte)	**clore** un débat (un compte)
il est grand **comme** toi	il est **aussi** grand **que** toi

N'écrivez pas	Écrivez
comme par exemple	**comme** (ou **par exemple**)
comme prévu (convenu, de juste)	**comme il est** prévu (convenu, juste)
comme de bien entendu	bien entendu
comparer **ensemble**	comparer
y comprises les primes	**y compris** les primes (mais les primes y comprises)
consentir **à ce** que	consentir **que**
une somme **conséquente**	une somme **importante**
nous **avons convenu**	nous **sommes convenus**
contacter quelqu'un	**prendre contact** avec quelqu'un
contrôler la situation	**dominer (maîtriser)** la situation
passez-moi un **coup de fil**	**téléphonez-moi,** vous pouvez me **joindre au téléphone**
un point **crucial**	un point **capital (décisif)**
il a **davantage** de dons que	il a **plus** de dons que
s'étonner (s'affliger) **de ce que**	s'étonner (s'affliger) **que**
en définitif	**en définitive**
à son **dépens**	à **ses dépens**
descendre **en bas**	descendre
des fois il est	**certaines fois (parfois)** il est
parler **de trop**	parler **trop**
mardi **en huit**	**de** mardi **en huit**
d'ici lundi	**d'ici à** lundi
dilem**ne**	dilem**me**
vous **disez** que	vous **dites** que
ils traitent **d'égals à égale** avec elle	ils traitent **d'égal à égal** avec elle
en égard à	**eu égard** à
être **émotionné**	être **ému**
émotionnant	**émouvant**
enfin **bref**	enfin
ennuyant	**ennuyeux**
je m'ennuie **après** toi	je m'ennuie **de** toi
s'entraider **mutuellement**	s'entraider
coûter **aux environs de** 8 €	coûter **environ** 8 €
votre **épouse**	votre **femme**
votre **époux**	votre **mari**
monter **les escaliers**	monter **l'escalier**
un espèce de	**une espèce** de
présenter un examen	**se présenter à** un examen

N'écrivez pas	Écrivez
un prix **trop excessif**	un prix **excessif**
je m'excuse de	**veuillez m'excuser** de/ **excusez-moi** de
en face la mairie	en face **de la** mairie
faire une lettre	**écrire** une lettre
je **m'en fais** beaucoup	je **m'inquiète** beaucoup
fin mai	**à la fin de** mai
elle se fait **forte** de	elle se fait **fort** de
c'est la faute **à**	c'est la faute **de**
il **s'en est guère** fallu	il **ne s'en est guère** fallu
gagner 8 € **de l'heure**	gagner 8 € **l'heure** (ou **à l'heure**)
l'idée lui **a pris** de	l'idée lui **est venue** de
ce bruit m'**insupporte**	ce bruit m'**est insupportable**
intervenir **près** de quelqu'un	intervenir **auprès** de quelqu'un
jouir d'une mauvaise santé	**souffrir** d'une mauvaise santé
malgré que	**bien que, quoique**
réduire au **maximum**	réduire au **minimum**
au **grand** maximum	au maximum
milieu ambiant	**milieu** (ou l'ambiance **du milieu**)
on a été	**nous avons** été
en outre de cela	**outre** cela
pallier à un inconvénient	**pallier un** inconvénient
tu as fait **pareil que** moi	tu as fait **comme** moi
ta veste est **pareille** que la mienne	ta veste est **semblable** à la mienne
prendre quelqu'un **à parti**	prendre quelqu'un **à partie**
partir **pour** la campagne	partir **à** la campagne
je suis **partisane** de faire	je suis **partisan (d'avis)** de faire
une rue **passagère**	une rue **passante**
problème **pécunier**	problème **pécuniaire**
aller de mal en **pire**	aller de mal en **pis**
tant **pire**	tant **pis**
moins **pire**	moins **mal**
rester **en plan**	rester **en suspens**
à mon **point de vue**	à mon **avis**
un **faux prétexte**	un prétexte **fallacieux** (un **mauvais prétexte**)
une condition **primordiale**	un condition **essentielle**
il est **primordial** de	il est **très important** de
je **te promets** que je suis	je **t'assure** que je suis
puis ensuite, puis après	**puis** (ou **et puis**, ou **ensuite**)

N'écrivez pas	Écrivez
quasiment vide	**quasi** vide
quelques 68 €	**quelque** 68 €
quelque soit la raison	**quelle que soit** la raison
les jours **rallongent**	les jours **s'allongent**
s'en rappeler	**se rappeler** (ou **s'en souvenir**)
rapport à mes difficultés	**en raison de (à cause de)** mes difficultés
réaliser son erreur	**prendre conscience** de son erreur
retour de	**de retour de (à mon retour de)**
retrouver sa liberté	**recouvrer** sa liberté
réunir **ensemble**	réunir
comme si **rien n'était**	comme si **de rien n'était**
il **risque** de gagner	il **a des chances** de gagner
vous n'êtes pas **sans ignorer** (= vous ignorez)	vous n'êtes pas **sans savoir** (= vous savez)
je vous **serais** gré	je vous **saurais** gré
il ne semble pas que **c'est** vrai	il ne semble pas que **ce soit** vrai
la **soi-disant** affaire	la **prétendue** affaire
solutionner un problème	**résoudre** un problème
arriver **de suite**	arriver **tout de suite**
lire **sur** le journal	lire **dans** le journal
surtout que	**d'autant plus que**
tant qu'à faire	**à tant faire que**
tant qu'à lui	**quant** à lui
je l'ai reçu **tel que**	je l'ai reçu **tel quel**
avoir le **temps matériel**	avoir le **temps voulu** pour
tomber sur quelqu'un	**rencontrer** quelqu'un
toute affaire cessante	**toutes affaires cessantes**
de **toutes manières**	de **toute manière**
cela m'a **stupéfait**	cela m'a **stupéfié**
veillez **que ceci** ne tarde pas	veillez **à ce que cela** ne tarde pas
vis-à-vis de	**à l'égard** de
ne m'en **voulez** pas	ne m'en **veuillez** pas

■ MOTS MAL ORTHOGRAPHIÉS

aboiement

aboyer

un **à-côté**, des **à-côtés**
(des aspects accessoires)

accu**eil** (et non pas acceuil)

ac**q**uérir, j'acque**rr**ai, si j'acque**rr**ais
(deux « r » au futur simple
et au conditionnel présent)

adé**quat**

un dîner d'adieu**x** (non pas d'adieu)

aigu, aigu**ë**

des **à-peu-p**rès (des approximations)

à peu près correct (sans trait d'union)

apparemment

un après-midi, **des** après-**midi**
(invariable)

je viendrai aprè**s m**idi
(sans trait d'union)

au-**d**essus, au-**d**essous, au-**d**edans,
au-**d**elà, etc. (avec un trait d'union)

au dir**e** des experts (non pas aux dires)

un autographe (masculin)

une autoroute (féminin)

avè**n**ement

ay**o**ns, ay**e**z (et non pas ayions, ayiez)

un bail, **des baux**

un bailleur, une bailleresse
(celui qui donne à bail)

balade (promenade, mot familier)

ba**ll**ade (poème)

barème (pas d'accent circonflexe)

ba**t**eau (pas d'accent circonflexe)

bâtiment

une belle-sœur, des belle**s**-sœur**s**

à **bientôt** (sous peu)

il est **bien tôt** (fort tôt)

bienvenu (celui qui est accueilli
avec plaisir)

il est **bien venu**
(il est effectivement venu)

une boîte

il boite

un bonhomme, des bon**s**homme**s**

en bra**s de c**hemise (sans trait d'union)

à bras-**le-c**orps
(avec deux traits d'union)

un mur en briqu**e** (sans « s » ;
mais un mur de briques rouges)

un cahier de brouillon**s**

de but en blanc

çà et là

cacheter, je cache**tt**e
(et non pas cachète)

c**a**hot (saut, secousse) à ne pas
confondre avec c**ha**os (désordre)

cel**a** (pas d'accent)

censé (supposé) à ne pas confondre
avec **s**ensé (conforme au bon sens)

cent **u**n, cent **d**eux, cent deuxième,
cent vingtième (sans trait d'union)

prendre le cent-**v**ingtième d'un nombre

ils font chacu**n** (pas de pluriel)

chaîne

chapitre (sans accent circonflexe)

un chef-d'œuvre, des chef**s**-d'œuvr**e**

un chef-lieu, des chef**s**-lieu**x**

chute (pas d'accent)

cime (pas d'accent)

il clôt

coïncider

un compte courant, des comptes
courant**s** (sans trait d'union)

un compte rendu, des compte**s** rendu**s**
(sans trait d'union)

je conclu**s**, je conclu**r**ai
(et non je conclue, je concluerai)

concourir

concurrence

conjecture (supposition) à ne pas
confondre avec conjoncture (situation)

son conjoint (s'emploie même s'il s'agit
d'une femme)

conscience

consumer (être détruit par le feu)
ne pas confondre avec consommer

monter une côte

une cote en Bourse

courir, je courrai, je courrais si
(deux « r » au futur simple et
au conditionnel présent)

coût, coûter

un bon cru (vin)

il a cru (de croire)

il a crû (de croître)

cueillir (et non ceuillir)

des places debout (invariable)

déclencher

au-delà

dénouement

dénuement

déploiement

un député, une femme député

dès demain

désobéir (sans tréma)

détoner (faire explosion)

détonner (chanter ou jouer faux)

un détritus, des détritus

dévouement

diffamer (pas d'accent circonflexe)

différend (débat, contestation) ne pas
confondre avec différent (non semblable)

digression (non pas disgression)

dilemme (non pas dilemne)

diplôme, diplômer, diplomate

disciple

disgracier (sans accent circonflexe ;
mais disgrâce)

distinct, distincte

dompter

son dû, une chose due (de devoir)

dûment

un effluve embaumé (masculin)

embonpoint

éminent (supérieur, qui dépasse)
ne pas confondre avec imminent
(près de survenir, proche)

sans encombre (singulier)

en dessous (sans trait d'union)

un en-tête, des en-têtes

sur ces entrefaites

erroné (un seul « n »)

espérer, il espérera, il espère
(le « e » devient « è » devant une syllabe
muette finale)

banc d'essai, tube à essai (sans « s »)

état civil (sans trait d'union)

homme d'État (majuscule à État)

événement (deux accents aigus)

exorbitant (sans « h »)

extrême, extrêmement

extrémité (sans accent circonflexe)

un faire-part, des faire-part (invariable)

dans son for intérieur (non pas fort)

fraîche

il fut (du verbe être)
un fût (tronc, tonneau)

gaiement, gaieté

gêne, gêneur (avec un accent circonflexe)

grâce

gracier

gracieux

un gratte-ciel, des gratte-ciel
(invariable)

bon gré mal gré (sans virgule)

haïr, je hais, tu hais, il hait, hais !
(haïr perd le tréma aux trois premières
personnes de l'indicatif présent et
à la deuxième personne de l'impératif)

hôpital

hôtel

s'immiscer

indemne

infâme (accent circonflexe)

infamie (sans accent circonflexe)

ingénieur-conseil (avec un trait d'union)

joliment (sans « e » ni accent circonflexe)

laissez-passer

laps de temps

un legs

licenciement

malin, maligne

malintentionné (un seul mot)

manœuvre

un match, des matches

un maximum, des maximums
ou des maxima

mentir, je mens, tu mens, mens !
(le « t » disparaît aux deux premières
personnes de l'indicatif présent et à la
deuxième personne de l'impératif)

des mille et des cents

un minimum, des minimums
ou des minima

mourir, je mourrai, je mourrais si
(deux « r » au futur simple et au
conditionnel présent)

naître, tu nais, il naît (accent circonflexe
devant un « t »)

en l'occurrence (deux « c », deux « r »)

un on-dit, des on-dit (invariable)

paiement, paye ou paie, payer

paraître, je parais, il paraît
(accent circonflexe devant un « t »)

partir, je pars, tu pars, pars !, il part
(le « t » disparaît aux deux premières
personnes de l'indicatif présent et à la
deuxième personne de l'impératif)

un passe-partout, des passe-partout
(invariable)

pérégrinations (non pas périgrinations)

péripétie

il viendra peut-être (adverbe :
trait d'union)

Il peut être reconnu (verbes pouvoir
et être : pas de trait d'union)

piqûre

plaidoirie (non pas plaidoierie)

de plain-pied (et non pas de plein-pied)

le plus tôt sera le mieux (idée de temps)

fais ceci plutôt que cela (idée de choix)

un post-scriptum, des post-scriptum
(invariable)

prompt, prompte

pouvoir, je peux, tu peux, je pourrai,
je pourrais (« x » aux deux premières
personnes de l'indicatif présent ; deux
« r » au futur simple et au conditionnel
présent)

un quiproquo, des quiproquos

non sans raison, pour raison de santé
(sans « s »)

être au regret de (non pas aux regrets)

un (des) remords

rémunérer (non pas rénumérer)

sans réserve (singulier)

respect

roder (user)

rôder, rodage (errer)

sain et sauf, saine et sauve

schéma

sèche, sèchement

sécher, sécheresse

seing privé (acte sous)

semer, il sème, sèmera (le « e » devient
« è » devant un syllabe muette finale)

sentir, je sens, tu sens, sens !
(le « t » disparaît aux deux premières
personnes de l'indicatif présent et à la
deuxième personne de l'impératif)

sitôt que (dès que)

si tôt (aussi tôt)

sortir, je sors, tu sors, sors !
(le « t » disparaît aux deux premières personnes de l'indicatif présent et à la deuxième personne de l'impératif)

soyons, soyez (non pas soyions, soyiez)

un spécimen, des spécimens

succès

succinct

sur (aigre, dessus)

sûr (certain)

surcroît

suspect

symptôme

tache (saleté)

tâche (travail)

un timbre-poste, des timbres-poste

toit (pas d'accent)

valoir, je vaux, tu vaux, il vaut
(« x » aux deux premières personnes de l'indicatif présent)

vouloir, je veux, tu veux, il veut
(« x » aux deux premières personnes de l'indicatif présent)

voir, je verrai, je verrais (deux « r » au futur simple et au conditionnel présent)

votre bien (et non pas vôtre bien)

je suis des vôtres (non pas je suis des votres)

zone (pas d'accent)

Index

Les termes qui font l'objet d'une définition dans la page sont signalés en italique.

D

Impression Mame, Tours
Dépôt légal : septembre 2004
Imprimé en France
560377/01 – 10113678 septembre 2004